A VRAI DIRE...

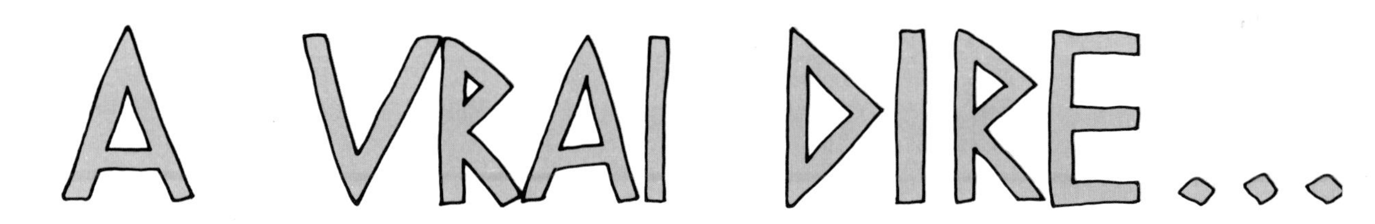

Authentic French for role-play

Kate Beeching

Oxford University Press

Oxford University Press, Walton Street, Oxford OX2 6DP

Oxford New York Toronto
Delhi Bombay Calcutta Madras Karachi
Petaling Jaya Singapore Hong Kong Tokyo
Nairobi Dar es Salaam Cape Town
Melbourne Auckland

and associated companies in
Berlin Ibadan

First published 1986
Reprinted 1987 (twice), 1989, 1991
ISBN 0 19 912074 9

Acknowledgements

I wish to express my gratitude to Oxford University Press for lending me the equipment necessary to make the authentic recordings in France and for their support in this venture. I should also like to add warm personal thanks to Fiona Clarke and to the rest of the editing team. Thanks also to Liz Hunter in the audio-visual department and to Peter Thompson at Studio AVP who edited the tape with me and showed sympathy in my quest for 'authentic yet pedagogic'.

Many, many thanks to Jean-Robert Gérard who trudged through torrential rain with me in order to interview people in shops and offices in Paris and Tours. And thanks, too, to the students and teachers of the Lycée Claude Monet in Paris for allowing me to take up some of their valuable time. Special thanks to Mme Raugel and Mme Benech.

I should also like to thank teachers at Manchester Grammar School, especially Dr Price, for encouragement and comments on the manuscript of the book.

Any errors are of course entirely my own responsibility.

Finally, warmest thanks to Rosemary and Alex Randall without whom this book could not have been written.

I am grateful to *OK Age Tendre* for permission to reproduce copyright material on p. 87.

Illustrations are by Jan Lewis and Brian Wall.

The photographs on p. 47 and p. 90 are by Keith Gibson.
All other photographs are by John Beeching.

The cover illustration is by Alan Adler.

Typeset by Graphicraft Typesetters Ltd. HK
Printed in Hong Kong

Introduction

In this book I hope to cover the role-play situations a learner will need to act out as part of the oral examination at GCSE. As these are the situations learners are most likely to find themselves in during a first or second stay in France, the book would also serve as useful preparation for such a trip.

The recorded dialogues

Each unit of **A vrai dire** . . . begins with a model role-play. Because I wanted these model dialogues to be fresh and realistic but also required the language to be controlled and, to a certain extent, graded, I set up the authentic recordings with very specific aims and questions in mind. Much interesting material was produced in this way and language items emerged which reflect current French usage. In Units 1–12, Jean-Robert Gérard asks the questions in the survival situations in shops and offices. In Units 13–22, schoolchildren at the Lycée Claude Monet in Paris interview each other and role-play the more personal conversations such as arranging to go out together or turning down a date with an ardent suitor!

Exercises

In each unit a comprehension check is followed by exercises which give practice in handling the structures, key phrases, and intonation patterns which appear in context in the dialogues. These are mainly whole-class activities. Exercises which are suitable for pair work are marked with the following symbol:

Useful expressions

Next follows a list of useful expressions in which additional key phrases are collated with those found in the dialogues.

Note on grammar

No grammar notes as such are included in the list of useful expressions. The structures practised in each unit are listed on p. 96 so that teachers can select units to fit in with their usual course book.

Role-play

Two role-plays, each with one part in French, the other a 'prompt' in English, give final practice in what has been presented. The French part of each of these role-plays is recorded and appears on the cassette tape after the model dialogue in each unit. There is a short space between each utterance. The teacher should press the pause button whilst eliciting the correct reply from learners. Once learners are well-versed in both parts, they can practise the role-plays in pairs. A third, more open-ended role-play situation is outlined to provide a more challenging exercise, and a written exercise marked with the symbol ✎ concludes each unit consolidating and extending what has been learnt.

Kate Beeching
Cambridge

Contents

1 L'hôtel

Finding a room

Jean-Robert: Bonjour, mademoiselle.
L'employée: Bonjour, monsieur.
Jean-Robert: Je voulais savoir si vous aviez une chambre pour trois personnes.
L'employée: Oui.
Jean-Robert: Ce serait pour deux nuits, s'il vous plaît.
L'employée: Pour deux nuits, oui, c'est possible.
Jean-Robert: Quel est le . . . le tarif d'une chambre pour trois personnes par nuit avec douche ou salle de bain?
L'employée: Alors, pour trois personnes avec douche, ça vous fait 212 francs.
Jean-Robert: 212 francs par nuit.
L'employée: Oui.
Jean-Robert: Et pour les deux . . . pour les trois personnes?
L'employée: Pour les trois personnes, oui.
Jean-Robert: C'est donc le prix de la chambre, pas le prix . . .?
L'employée: C'est ça, oui.
Jean-Robert: Bien. Et ce prix comprend le petit déjeuner?
L'employée: Ah oui. Le petit déjeuner est compris dans le prix.
Jean-Robert: Et est-ce qu'on peut prendre le dîner à l'hôtel?
L'employée: Non, nous ne faisons pas restaurant.
Jean-Robert: Mais il y a des restaurants dans les environs?
L'employée: Oui, juste au bout de la rue.
Jean-Robert: Bien. Est-ce que . . . J'ai une voiture. Je peux la garer près d'ici ou dans l'hôtel?
L'employée: Non. Pas dans l'hôtel. Vous pouvez la garer dans la rue, juste devant l'hôtel, si vous voulez.
Jean-Robert: Puisque vous n'avez pas de garage?
L'employée: Non.
Jean-Robert: Bien. Je vais donc prendre une chambre pour trois personnes pour ce soir.
L'employée: Hmm. Mmm.
Jean-Robert: Et les toilettes sont à l'étage ou dans la chambre?
L'employée: Dans la chambre.
Jean-Robert: Dans la chambre.
L'employée: Oui.
Jean-Robert: Très bien. Et c'est à quel étage, s'il vous plaît?
L'employée: Alors . . . au troisième étage.
Jean-Robert: Troisième étage, bien. Et vous avez un ascenseur?
L'employée: Oui.
Jean-Robert: Bon. Donc je vais prendre l'ascenseur. Et est-ce que la chambre donne sur la rue ou sur l'arrière?
L'employée: Sur la rue. Elle donne sur la rue.
Jean-Robert: Sur la rue. Ce n'est pas trop bruyant.
L'employée: Non. Pas du tout.
Jean-Robert: Bien, je vous remercie, mademoiselle. C'est ma clé? Voilà.
L'employée: Oui, c'est la clé 33.
Jean-Robert: 33, bien.
L'employée: Voilà.
Jean-Robert: Je vais monter. Merci. Je vous règle de suite ou demain?
L'employée: Demain matin, si vous voulez.

quel est le tarif de . . .? how much is it for . . .?
la douche shower
ce prix comprend-il . . .? does the price include?
au bout de at the end of
garer to park
l'étage floor; **à l'étage** in the corridor
un ascenseur lift
la chambre donne sur . . . the room looks out over . . .
l'arrière back
bruyant noisy
régler to settle up, pay the bill
vous avez un ascenseur? have you got a lift?

je vais donc prendre une chambre pour ce soir I'll take a room for tonight, then
je vous règle de suite? do I pay now?
quel est le numéro de ma chambre? what number is my room?
la chambre donne-t-elle sur la rue? does the room look out over the street?
complet full up
monter to go up to your room
monter les bagages to take your luggage up
la clé key
le lavabo wash-basin

A Comprehension check

Listen to Jean-Robert's conversation with the hotel receptionist and check that you have understood the main points by filling in the missing information in the sentences below. In some questions you must simply choose the correct alternative.

1. Jean-Robert wants to book a room for 2/3 people.
2. For 212F he will have a room with a shower/bathroom.
3. At the hotel they provide breakfast/dinner.
4. The room is on the ________ floor.
5. It looks out over the ________.
6. It is room number ________.
7. Jean-Robert should settle up the bill tonight/tomorrow.

B Quel est le tarif d'une chambre pour trois personnes avec douche?

This is how Jean-Robert asks about the price of the room.

Use the same phrases to ask about the price of rooms with the following specifications:

C Ce prix comprend le petit déjeuner?

Does the price include breakfast?

Listen to that phrase once more on the tape and, imitating the way the voice rises at the end, ask if these things are included:

lunch, dinner, VAT (*la TVA*), service.

D Vous avez un ascenseur?

Notice how Jean-Robert asks if they have got a lift.

Using the same rising intonation, ask if they have got: a telephone, postcards, stamps, croissants, jam, tea with milk.

E Je vais prendre l'ascenseur.

Jean-Robert uses **aller** with the infinitive to talk about doing something in the immediate future.

How would you say you're just going to:

1. get the key
2. go up to your room
3. fetch the luggage
4. call for the lift
5. take a shower
6. get changed to go out

F Est-ce qu'on peut prendre le dîner à l'hôtel? J'ai une voiture – je peux la garer près d'ici ou dans l'hôtel?

Jean-Robert asks if it is possible to have dinner at the hotel and where he can park the car.

Listen to these two phrases on the tape once more and practise repeating them, making your voice rise if necessary. Then ask if you can do these things, using the more impersonal **on** where appropriate:

1. have a room on the ground floor
2. use the telephone
3. post a letter
4. have breakfast in your room
5. park the car in the garage
6. pay the bill tomorrow

G Est-ce que la chambre donne sur la rue?

To talk about what the room looks out over, use **donner sur** . . .

Ask if the room looks out over these things:

H Ma chambre est à quel étage, s'il vous plaît?
Au troisième étage, monsieur.
In a big hotel you'll want to know what floor everything is on. Practise asking what floor these are on:

1. le salon de coiffure
2. la salle de télévision
3. la piscine
4. le restaurant
5. les chambres
6. les toilettes
7. les lavabos

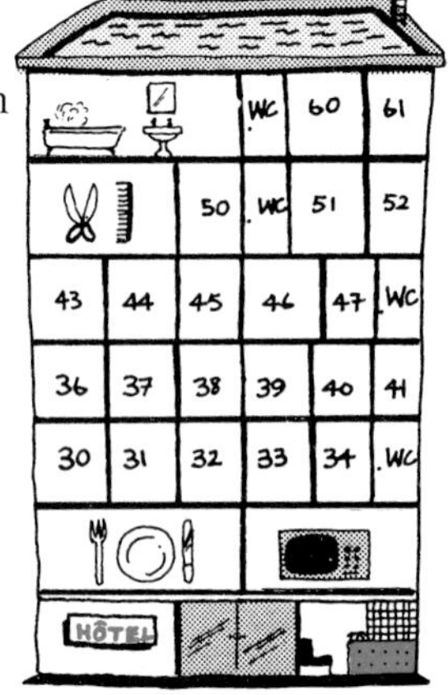

Your partner can tell you where they are by looking at the plan of the hotel above.

I Vous avez une chambre?
Je voulais savoir si vous aviez une chambre.
Sometimes there are two different ways of saying the same thing depending on how formal the situation is. Look at the difference between the two questions above: Jean-Robert uses the long form as a polite introduction to the conversation.
How would you ask someone for:
a biro, a telephone, English newspapers, postcards, something to eat, a bicycle.
In each case, say who it is you are asking (your pen-friend, pen-friend's mother, the receptionist at the hotel, etc.), how well you know them, and the circumstances.

Useful Expressions

Avez-vous une chambre pour ce soir, s'il vous plaît, monsieur/madame?
Have you a room for tonight please, monsieur/madame?

Je voulais savoir si vous aviez une chambre, monsieur/madame.
I was wondering if you had a room.

Je voudrais une chambre ...
I'd like a room ...

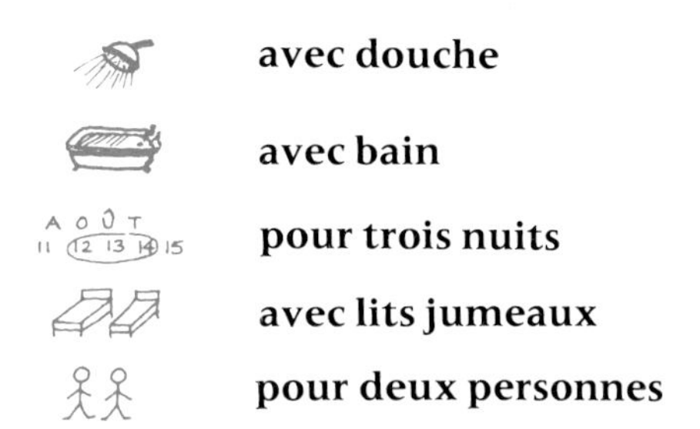

avec douche
avec bain
pour trois nuits
avec lits jumeaux
pour deux personnes

Quel est le tarif d'une chambre ...?
How much is a room ...?

Ce prix comprend-il ...?
Does this price include ...?

Le petit déjeuner est à quelle heure?
What time is breakfast?

La chambre est à quel étage?
What floor is the room on?

Au ... **rez de chaussée, premier/deuxième/troisième étage.**
On the ground floor, first/second/third floor.

Les toilettes sont à l'étage ou dans la chambre?
Are the toilets along the corridor or in the room?

Est-ce qu'on peut dîner à l'hôtel?
Can one have dinner at the hotel?

Je peux garer la voiture près d'ici?
Can I park the car near here?

Il y a des restaurants dans les environs?
Are there any restaurants in the neighbourhood?

Role-play

With a partner, act out these situations at a hotel reception desk:

1 *Le/la réceptionniste:* Bonjour, monsieur/mademoiselle.
Vous: (Ask if they have a room for two people.)
Le/la réceptionniste: Oui, bien sûr. Désirez-vous une chambre avec lits jumeaux?
Vous: (Say yes, with twin beds, please.)
Le/la réceptionniste: Oui, c'est possible. C'est pour une nuit seulement?
Vous: (Say no, it's for three nights and ask how much it is for a room with a shower.)
Le/la réceptionniste: Avec douche cela fait 250 francs.
Vous: (Ask if this price includes breakfast.)
Le/la réceptionniste: Oui, monsieur/mademoiselle. Petit déjeuner, service et taxes compris.
Vous: (Very good, say you'll take a room for two people for three nights, then.)

2 *Vous:* (Greet the receptionist. Ask if one can park the car at the hotel.)
Le/la réceptionniste: Non, monsieur/mademoiselle, il n'y a pas de parking à l'hôtel, mais vous pouvez la garer dans la rue juste devant l'hôtel.
Vous: (Say OK. Ask what floor the room is on.)
Le/la réceptionniste: Au quatrième étage.
Vous: (Ask if the room looks out on the street.)
Le/la réceptionniste: Non, elle donne sur l'arrière, monsieur/mademoiselle.
Vous: (Ask what time breakfast is.)
Le/la réceptionniste: Entre sept heures et dix heures, monsieur/mademoiselle.
Vous: (Ask if you can have breakfast in your room.)
Le/la réceptionniste: Oui, bien sûr. A quelle heure le désirez-vous, monsieur/mademoiselle?
Vous: (About eight o'clock, please.)
Le/la réceptionniste: Très bien, monsieur/mademoiselle.

3 You're camping. You arrive late and it's raining! You decide to try to find a hotel room for the night. With your partner, act out the conversation at the reception desk, one of you taking the part of the hotel guest and the other acting as the receptionist.

Ask if they have any rooms, whether they have a shower or bathroom, how much they cost, and what floor they are on. Finally ask what time breakfast is served and whether you could be woken up in the morning.

All hotels in France have standard prices – **prix homologués** – depending on the condition of the rooms, number of public rooms, etc. The person acting as receptionist will find details of prices on the list below:

HOTEL CENTRAL: PRIX HOMOLOGUÉS

Chambre No.	Etage	Lits	Douche	Bain	Prix
1	1	3 petits lits	–	√	150F
2,3,4	2	1 grand lit	–	√	105F
5,6	3	2 petits lits	–	√	105F
7,8,9	4	1 petit lit	√	–	60F

Petit déjeuner, service et taxes compris.

4 You find the hotel very comfortable and decide to spend three days there the following year, from 15–18 August.

Write a letter to the manager of the hotel, booking a room with a shower for yourself and a friend. The plan below will help you:

YOUR ADDRESS

Monsieur le Gérant
Hôtel Central
86270 La Roche Posay

DATE

Cher Monsieur,

Je voudrais réserver...

Dans l'attente de vous lire, je vous prie d'agréer, Monsieur, l'expression de mes sentiments les plus respectueux.

YOUR NAME

2 Directions

1 Asking the way

Jean-Robert: Bonjour, mademoiselle.
L'employée: Bonjour, monsieur.
Jean-Robert: Pourriez-vous m'indiquer la banque la plus proche, s'il vous plaît?
L'employée: Oui – vous voulez changer de l'argent?
Jean-Robert: C'est cela. Des travellers-chèques.*
L'employée: Oui. Alors, vous allez descendre la rue de Lancry . . .
Jean-Robert: Oui.
L'employée: . . . traverser le grand boulevard de Magenta et vous allez trouver une grande banque juste en face de vous et vous allez pouvoir changer vos traveller-chèques.
Jean-Robert: C'est le Crédit Lyonnais ou . . .?
L'employée: Non, c'est le Crédit Agricole.
Jean-Robert: Bon. Merci, mademoiselle. Maintenant, je voudrais savoir où se trouve la poste la plus proche, s'il vous plaît.
L'employée: Oui. Vous remontez la rue . . .
Jean-Robert: Oui.
L'employée: . . . et vous prenez la première rue à droite et c'est deux maisons plus loin, à droite.
Jean-Robert: Bon. Et je peux appeler là-bas l'Angleterre en PCV?
L'employée: Oui. Oui, oui il faut demander à la personne . . . à l'employée, hein?
Jean-Robert: Très bien.

indiquer to indicate, point out
proche near
descendre to go down
traverser to cross
en face de opposite
remonter to go back up

* **un travellers-chèque** – a new word borrowed from English which you may see spelt differently elsewhere

Le Crédit Lyonnais/le Crédit Agricole *names of large French banks*
la première rue à droite the first street on the right
plus loin further on
appeler en PCV to make a transfer charge call

2 Going by car

Jean-Robert: Excusez-moi, mademoiselle. J'ai garé ma voiture dans la rue et je voulais savoir si vous pouviez m'indiquer la route de Tours?
L'employée: Oui. Vous êtes en voiture, hein? Oui.
Jean-Robert: Oui.
L'employée: Alors, vous allez prendre . . . il faut sortir de Paris, hein, vous prenez la direction Porte d'Orléans et ensuite vous prenez le périphérique – c'est le grand boulevard autour de Paris – et là, vous allez voir les directions de l'autoroute – ce sont des panneaux bleus – et vous allez prendre d'abord la direction Lyon et ensuite la direction Orléans et Tours.
Jean-Robert: C'est à 200 kilomètres environ?
L'employée: Oui. Environ. 200 kilomètres.
Jean-Robert: C'est une autoroute à péage?
L'employée: Oui, c'est à péage. Je pense que c'est entre 80 et 100 francs. Ça dépend de la voiture.
Jean-Robert: Avant de partir je voulais vous demander – y a-t-il une station-service où je puisse faire le plein parce que je suis un petit peu . . .
L'employée: Oui, d'accord. Tout de suite, vous voulez en trouver une . . . très proche?
Jean-Robert: Oui, avant de partir pour Tours. Oui.
L'employée: D'accord. Je pense que si vous traversez la place de la République, vous contournez la

grande place de la République et vous allez trouver le boulevard Voltaire et là tout de suite sur votre droite il y a une station-service qui peut vous servir.

Jean-Robert: Bon. Et vous pensez qu'ils pourront vérifier la pression des pneus?

L'employée: Oui, oui, bien sûr. Ça se fait partout, hein, dans chaque station-service.

Jean-Robert: Merci beaucoup, mademoiselle. Vous êtes très aimable.

garer to park
le périphérique ring road
l'autoroute motorway
le panneau signpost
d'abord . . . ensuite . . . first of all . . . then . . .
environ about
le péage toll
avant de before
où je puisse (from **pouvoir**) where I could . . .
faire le plein fill up the tank
contourner to go round
vérifier la pression des pneus to check the tyre-pressures
partout everywhere

A Comprehension check

Listen to Passage 1 on tape – several times if necessary – then answer the questions below:

1. What is Jean-Robert looking for?
2. What does he want to do?
3. Should he go *up* or *down* rue de Lancry?
4. Is it this side of Boulevard de Magenta or the other side?
5. Where does he want to go next?
6. Is it off Boulevard de Magenta or back up the rue de Lancry?
7. What side of the road is it on?
8. What does he want to do there?

Now listen to Passage 2 and answer these questions:

9. How do you get on to the road to Tours?
10. How far away is it?
11. What expenses will be involved in the trip?
12. How should Jean-Robert get to the nearest petrol-station?

B Find the catch-phrase

Listen to the passages once more and write down the phrases Jean-Robert uses to:

1. ask the girl where the nearest bank is.
2. say he would like to know where the nearest post office is.
3. ask how far away Tours is.
4. ask whether he will have to pay a toll.
5. ask whether there is a petrol station where he can fill up.
6. ask whether they will be able to check his tyre-pressures.

C Giving directions

Write down how the woman at the travel agent's tells Jean-Robert:

1. You'll go down the rue de Lancry.
2. You go back up the street.
3. You take the first street on the right . . .
4. . . . and it's two houses further up on the right.
5. You'll find a bank immediately opposite.
6. You'll be able to change your travellers' cheques.

D Où se trouve le/la . . . le/la plus proche, s'il vous plaît?

Using the map provided on the next page, ask your partner the way to the nearest:

1. baker's
2. café
3. cinema
4. supermarket
5. chemist's

First both of you should write down which place each number on the map corresponds to, then take turns to ask each other where each place is. Jot down the number you think your partner's directions lead you to!
Check at the end to see whether you managed to get the message across.

Useful Expressions

Excusez-moi, monsieur/madame . . .
Excuse me, please . . .

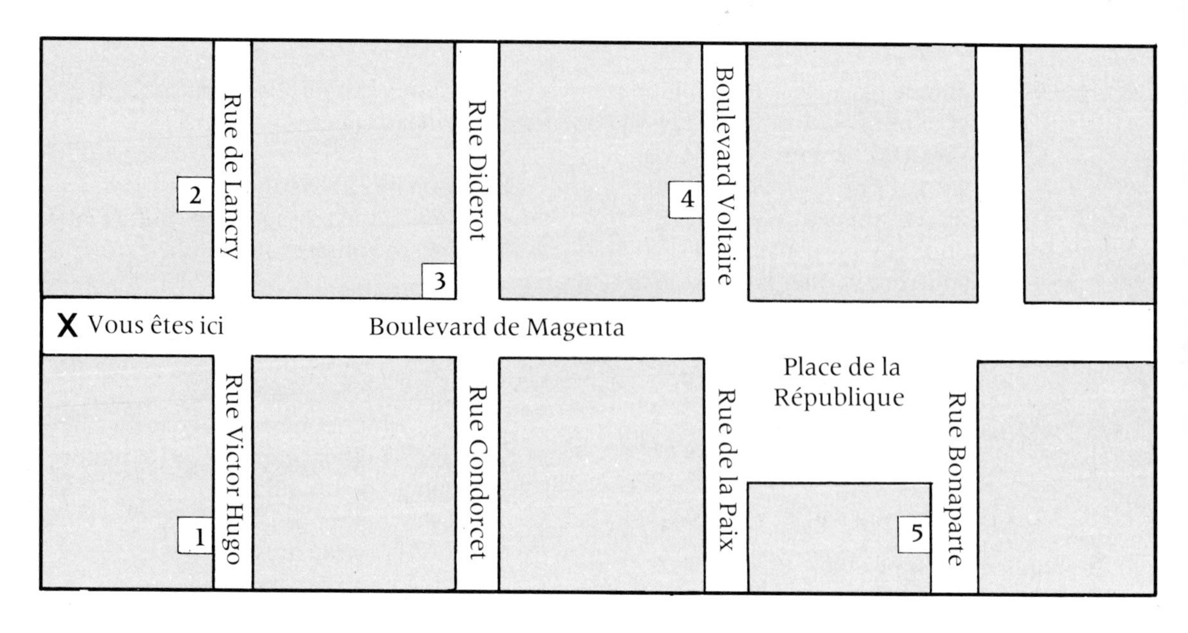

Où se trouve la poste, s'il vous plaît?
Où est la banque la plus proche?
Où sont/se trouvent les grands magasins?

Where is/are | the post office?
| the nearest bank?
| the department stores?

Pour aller à . . . (au/à la/à l'/aux)?
How do I get to (the) . . .?

Y a-t-il un/une . . . par ici?
Is there a . . . near here?

C'est à quelle distance? How far away is it?

A 500 mètres. A 200 kilomètres.
500 metres away. 200 kilometres away.

A 10 minutes à pied. 10 minutes on foot.

Pourriez-vous m'indiquer la route de . . ./ me dire comment rejoindre la route de . . .?
Could you tell me how to get on to the road to . . .?

Pouvez-vous me montrer sur la carte où je suis/où se trouve la cathédrale?
Could you show me where I am/where the cathedral is on the map?

Quelle est cette rue? What street is this?

C'est bien la route pour la banque?
Is this the right way for the bank?

Prenez | **la première rue à droite.**
| **la deuxième rue à gauche.**

Take | the first street on the right.
| the second street on the left.

Descendez la rue de Lancry.
Go down rue de Lancry.

Traversez le boulevard de Magenta.
Cross boulevard de Magenta.

Il faut aller . . ./prendre . . .
You have to go . . ./take . . .

Suivez les panneaux bleus – direction Lyon.
Follow the blue signs – towards Lyon.

Vous êtes sur la mauvaise route.
You are on the wrong road.

la première rue à droite/gauche
the first street on the left/right

au prochain coin de rue
at the next street corner

à gauche	left
à droite	right
tout droit	straight on
proche	near
loin	far
près de	near
à côté de	beside
en face de	opposite
après	after
avant	before
aux feux rouges	at the traffic lights
au pont	at the bridge
au carrefour	at the crossroads
au rond-point	at the roundabout

Role-play

Act out the situations with your partner:

1 *Vous:* (Excuse yourself and ask where the nearest petrol station is.)
Un passant: Vous êtes en voiture?
Vous: (Say no, you are on foot. You have run out of petrol – **être en panne sèche**.)
Le passant: Alors, vous traversez la place, vous prenez le boulevard Jules Ferry et vous avez une station-service sur votre gauche.
Vous: (Ask if it is far.)
Le passant: Non. A 200 mètres environ.
Vous: (Ask if there is a café near here – you are thirsty.)
Le passant: Oui, oui. Il y a un café sur la place. Où avez-vous laissé la voiture – c'est loin d'ici?
Vous: (Say yes, about 20 kilometres away!)
Le passant: Oh là là!

2 *Vous:* (Greet the receptionist and ask if she can tell you how to get on the road to Nice.)
L'hôtesse d'accueil: Oui, bien sûr, monsieur/mademoiselle. Vous prenez à gauche ici et un peu plus loin vous verrez des panneaux.
Vous: (Ask if it is a motorway with a toll to pay.)
L'hôtesse d'accueil: A péage, oui. C'est entre 50 et 80 francs.
Vous: (Say OK and ask if she could also tell you where the nearest bank is.)
L'hôtesse d'accueil: Oui, oui, il y en a plusieurs dans le centre-ville.
Vous: (Ask her if she could show where you are on the map.)
L'hôtesse d'accueil: Bien sûr. Nous sommes ici, et il y a deux banques sur la place là.
Vous: (Thank her, tell her she is very kind and say good-bye.)
L'hôtesse d'accueil: De rien, monsieur/mademoiselle. Bonne journée.

3 Traffic puzzle

The puzzle at the foot of the page represents a busy intersection. See if you can fill it in by completing the clues below.

1 Ensuite vous allez voir des panneaux '________ Lyon'.
2 'On peut y aller à pied?' 'Non, c'est trop ________. Il faut y aller en voiture.'
3 En France l'________ est souvent à péage.
4 Il faut s'arrêter aux ________ ________.
5 'Je prends à gauche ici?' 'Ah non! Au contraire, vous prenez à ________.'

4 Et pour arriver chez vous?!

Your pen-friend's family is arriving from France by car. Write a letter in which you explain exactly how to get to your house once they have arrived at the town where you live. You can enclose a sketch-map if you wish but be sure to spell out all the details in your letter as well.

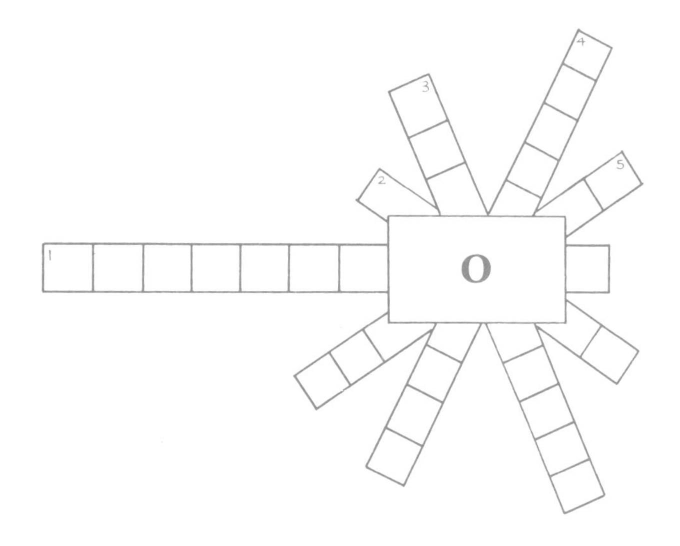

3 La poste

1 Buying stamps and postcards

Jean-Robert discovers you can buy stamps and postcards at the hotel and asks about making a phone-call.

Jean-Robert: Je voulais vous demander – je peux acheter une de vos cartes postales?
Le réceptionniste: Bien sûr.
Jean-Robert: De Notre Dame, mettons.
Le réceptionniste: Bien sûr.
Jean-Robert: Vous vendez aussi des timbres?
Le réceptionniste: Des timbres, oui. Euh . . . pour . . . le
Jean-Robert: Pour l'Angleterre.
Le réceptionniste: Pour l'Angleterre. Alors 1,60F.
Jean-Robert: 1,60F, bien. Je veux prendre donc une carte et un timbre, s'il vous plaît. Est-ce que je peux téléphoner de l'hôtel?
Le réceptionniste: De l'hôtel, oui. Si vous voulez votre numéro dans la chambre, vous me laissez le numéro, je vous donne votre numéro dans la chambre.
Jean-Robert: Très bien. Vous n'avez pas de cabine en bas?
Le réceptionniste: Si, c'est possible.
Jean-Robert: Avec jetons? Il faut . . . ?
Le réceptionniste: Non. Sans jetons. Il faut passer par le standard.
Jean-Robert: Bon. Très bien. Donc pour Paris je peux téléphoner d'en bas?
Le réceptionniste: Sans aucun problème.
Jean-Robert: Merci infiniment, monsieur.

mettons let us say
un timbre stamp
en bas downstairs
avec jetons with tokens (*instead of coins, some French phones take tokens which you have to buy*)
le standard switchboard

2 Making a phone-call at the post office

Jean-Robert: Bonjour, monsieur.
L'employé: Bonjour, monsieur.
Jean-Robert: Je voudrais téléphoner chez mes parents en Angleterre – qu'est-ce que je dois faire?
L'employé: Oui, bien écoutez. Vous allez entrer dans une cabine, c'est vous-même qui composez le numéro. Alors vous allez faire le 19, vous attendrez la tonalité et ensuite vous composez le 44 et puis ensuite l'indicatif ou le code de la ville que vous voulez joindre.
Jean-Robert: Oui, c'est Oxford – 0865.
L'employé: Bon, alors, directement vous ferez 0865 après avoir fait le 19 et le 44. Alors, pour l'instant il n'y a pas de cabines. Ah si, j'en vois une caisse libre là-bas – la deux. Alors, vous allez là-bas.
Jean-Robert: Merci, monsieur. Et je vous règle ensuite?
L'employé: Bien sûr. J'ai le compteur et je vous dirai ça quand vous sortirez.

. . .

Jean-Robert: Pour téléphoner à Paris maintenant, je pourrais utiliser la cabine avec jetons?
L'employé: Alors, là, vous changez de cabine, c'est sans jetons, c'est direct. Vous allez dans les cabines parisiennes, les cabines urbaines, la 11 là-bas, 11, directement. Et vous composez votre numéro parisien.
Jean-Robert: Vous pouvez me donner un peu de monnaie peut-être, des pièces de un franc?
L'employé: Alors, là, je n'en ai pas, vous allez au guichet à côté parce que moi, je n'en ai plus. Toute la journée, on m'en demande et j'en ai assez!
Jean-Robert: Merci, monsieur.

qu'est-ce que je dois faire? what should I do?
composer le numéro to dial the number
la tonalité dialling tone
l'indicatif code number
joindre to contact
une caisse libre a vacant booth
le compteur meter
le monnaie change
le guichet window
j'en ai assez! I've had enough, I'm fed up!

A Comprehension check

Listen carefully to Passage 1 and answer the questions:

1 Jean-Robert wants to send
- **a** an important business letter.
- **b** a picture postcard.

2 He buys a stamp for
- **a** England.
- **b** France.

3 The receptionist tells him
- **a** there is no phone downstairs.
- **b** he can make the call from his room.

4 To make a phone-call
- **a** he needs special tokens.
- **b** he has to go through the switchboard.

Judging from the instructions given to Jean-Robert in Passage 2, jot down:

5 the steps you would have to go through to phone your number at home when you are in Paris.

6 what you have to do to make a local call. (Which booths do you use? How do you pay for the call?)

B Je voulais vous demander – je peux acheter une de vos cartes postales?

This is how Jean-Robert very politely asks about the possibility of buying a postcard.

Imagine you are staying with a French family. Using the same phrase, ask if you can:

1 take a shower
2 do the shopping
3 swim in the lake
4 telephone your parents
5 go out this evening
6 go to the cinema

C Vous n'avez pas de cabine en bas?

Listen to the way Jean-Robert's voice rises and falls as he checks up whether the hotel has a phone booth downstairs. He uses the negative, just like in English: 'You haven't got a phone booth here, have you?'

Practise using the same form to ask if the man at the market stall has got these things today. (Remember you do not need **du**, **de la**, **des**, etc. after the negative, simply **de**!)

D Je voudrais téléphoner chez mes parents en Angleterre. Qu'est-ce que je dois faire?

This is how Jean-Robert asks how he should make a phone-call. Practise saying what you'd like to do and asking how you should do it. Here are some pictures indicating things you might like to do! Your partner can make up a suitable reply.

e.g. 

— **Je voudrais acheter un disque – qu'est-ce que je dois faire?**
— **Il faut aller aux grands magasins.**

E You are explaining to a French friend how to use an English public telephone. Here are the instructions you need, but in the wrong order. Rearrange the sentences so that the instructions make sense.

1 Vous attendez la tonalité.
2 Quand on répond, vous mettez de l'argent.
3 Vous décrochez.
4 Il faudra des pièces de 10p.
5 Ensuite vous composez le numéro.

F Vous pouvez me donner un peu de monnaie?
Alors là, je n'en ai pas!
Jean-Robert's request for some change falls on deaf ears – the post office employee is sick to death of people asking him for change all day! With a partner, ask and answer in the same way for these things:

Useful Expressions

C'est combien pour envoyer une lettre/carte postale en Angleterre?
Quel est le tarif d'une lettre/carte postale pour Londres?
How much is it for a letter/postcard to England/London?

Je voudrais ...... timbres à 1,60F.
I'd like ...... 1,60F stamps.

Où se trouve la boîte aux lettres?
Where is the letter-box?

Je voudrais envoyer ce paquet – faut-il remplir un formulaire pour la douane?
I'd like to send this parcel – do I have to fill in a form for customs?

Pour les télégrammes, c'est quel guichet, s'il vous plaît?
Which window is it for telegrams, please?

Je voudrais envoyer un télégramme – puis-je avoir un formulaire, s'il vous plaît?
I'd like to send a telegram – could I have a form, please?

Quel est le tarif par mot?
How much is it per word?

Combien de temps un télégramme met-il pour arriver à Londres?
How long does it take for a telegram to arrive in London?

Où se trouve la cabine téléphonique la plus proche?
Where is the nearest phone-box?

Puis-je utiliser votre téléphone?
Can I use your phone?

Puis-je téléphoner par l'automatique?
Can I dial direct?

Faut-il avoir des jetons/passer par le standard?
Do I have to have tokens/go through the operator?

Avez-vous un annuaire téléphonique pour Tours?
Have you got a telephone directory for Tours?

Pouvez-vous m'aider à obtenir ce numéro?
Could you help me to get this number?

Je voudrais téléphoner en PCV.
I'd like to make a transfer-charge call.

Je voudrais une communication avec préavis.
I'd like to make a person-to-person call.

Voulez-vous me demander Paris 645-43-75?
Could you call Paris 645-43-75 for me?

Dois-je composer le numéro maintenant?
Should I dial the number now?

Pouvez-vous me donner un peu de monnaie/des pièces de un franc?
Could you give me some change/some one-franc pieces?

Role-play

Act out these situations in the post office with your partner.

1 Stamps

Vous: (Greeting. Ask how much it costs to send a postcard to England.)

L'employé: Alors, attendez . . . 1,60F, monsieur/mademoiselle.

Vous: (Say you would like four 1,60F stamps, please.)

L'employé: Voilà.

Vous: (Say you would also like to send this parcel. Ask if you have to fill in a customs form.)

L'employé: Oui, oui, il faut remplir une formule.*

Vous: (Ask if he could give you one, please.)

L'employé: Bien sûr. Voilà, monsieur/ mademoiselle.

Vous: (Thank him and ask how much it is.)

L'employé: Alors le paquet, c'est 4,10F . . . 10,50F, monsieur/mademoiselle.

Vous: (Say here you are and ask where the post-box is, please.)

L'employé: A droite à la sortie, monsieur/ mademoiselle.

Vous: (Thank him very much.)

L'employé: Je vous en prie.

2 Making a phone-call

Vous: (Say you'd like to telephone your mother/father in England and ask what you have to do.)

L'employé: Alors, vous entrez dans la cabine là, vous faites le 19, le 44 et puis l'indicatif de votre ville et le numéro.

Vous: (Say you have not much money and ask if you could make a transfer-charge call.)

L'employé: Bien sûr. Attendez . . . je vais vous dire si je peux joindre votre correspondant. C'est quel nom?

Vous: (Spell out your mother's/father's name.)

L'employé: Quel est le numéro et l'indicatif de la ville?

Vous: (Give the number and code of your home town.)

L'employé: Oui. Voilà. Vous l'avez. Cabine quatre.

Vous: (Thank him.)

* it is more usual to say **un formulaire** in this context

3 You are a British tourist. Your teacher will take the part of the post-office employee in the first instance. Act out the conversation at the post office, in which you buy stamps for these . . .

. . . and make a transfer-charge call to Mary McKay at this number: Edinburgh (031) 53124.

4 Here is a typical telegram, written in 'telegraphese':

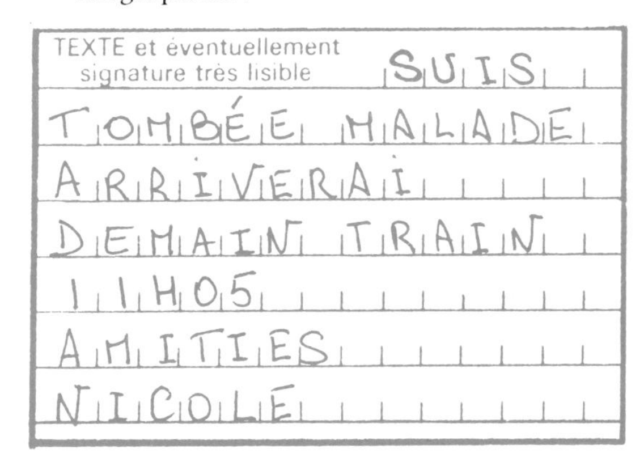
TEXTE et éventuellement signature très lisible SUIS
TOMBÉE MALADE
ARRIVERAI
DEMAIN TRAIN
11H05
AMITIES
NICOLE

See if you can work out what the message is and write your own telegram, saying the car has broken down and you will be arriving tomorrow evening.

4 Les courses

1 La boulangerie

Jean-Robert: Bonjour, madame.
La boulangère: Vous désirez messieurs-dames?
Jean-Robert: J'aurais voulu peut-être un gâteau si vous aviez . . .
La boulangère: Oui. Qu'est-ce que vous voulez?
Jean-Robert: En pâtisserie, vous avez des tartes?
La boulangère: Oui, tarte aux pommes, tartes aux cerises, abricots, non, pas abricots, pardon, poires, crème d'amandes, sinon tartelettes citron . . .
Jean-Robert: Ah oui.
La boulangère: Amandines.
Jean-Robert: Ah une amandine, ça a l'air très bon. Je vais prendre donc une amandine.
La boulangère: Oui. Voilà.
Jean-Robert: Et puis je vais prendre un pain aux raisins aussi.
La boulangère: Et un pain aux raisins, oui. Vous désirez autre chose?
Jean-Robert: Non, je crois que ça sera tout, madame.
La boulangère: Bien. Merci, messieurs-dames.
Jean-Robert: Bien, je vous dois combien, madame.
La boulangère: 8,60F.
Jean-Robert: Merci, madame. Merci.
La boulangère: Merci, monsieur. Et dix. Voilà.
Jean-Robert: Merci infiniment, madame.
La boulangère: Merci, messieurs-dames.

une amandine almond tart
ça a l'air très bon that looks very good
un pain aux raisins currant bun

2 La confiserie

Jean-Robert goes into a shop which sells nothing but . . . chocolates!

La vendeuse: Bon. Alors . . .
Jean-Robert: Bonjour, madame.
La vendeuse: Bonjour, messieurs-dames.
Jean-Robert: Je voudrais 100 grammes de chocolats.
La vendeuse: Desquels désirez-vous?
Jean-Robert: Oh, un assortiment, s'il vous plaît.
La vendeuse: Oui, alors vous avez des préférences dans le chocolat au lait, le chocolat blanc, le chocolat noir . . .?
Jean-Robert: Plutôt au lait.
La vendeuse: Plutôt au lait. Bien. Et quels parfums préférez-vous? Les pralinés, les crèmes, les liqueurs, la crème fraîche? Il y a du choix, hein?
Jean-Robert: Ah . . . pralinés . . . oui, oui.
La vendeuse: Dans les pralinés.
Jean-Robert: Oui, je prends les pralinés.
La vendeuse: Bon, on va vous donner assez variés quand même. Celui-là c'est un praliné aux fruits. Est-ce que vous aimez ça?
Jean-Robert: Oui, oui. Très bien.
La vendeuse: Oui, bien. Alors, ça, ce n'est pas du praliné, c'est du chocolat noir fondant . . . Légèrement alcoolisé pour celui-là. Vous aimez ça?
Jean-Robert: Non, je vais prendre le . . .
La vendeuse: Un tout à fait classique là.
Jean-Robert: Classique, voilà.
La vendeuse: Bien. Ça va?
Jean-Robert: Oui, oui, parfait. Merci beaucoup.
La vendeuse: Bien. Alors, on y va. Bien. Vous avez 85 grammes, ça vous va?
Jean-Robert: Oui, c'est bien.
La vendeuse: Oui. Voilà. Pour 7F20.
Jean-Robert: Parfait. Merci, madame.
La vendeuse: Merci bien. Au revoir, messieurs-dames.

desquels désirez-vous? which ones would you like?
quels parfums . . .? which flavours . . .?
les pralinés almond-flavoured ones
celui-là that one
chocolat noir fondant plain fondant chocolate
légèrement alcoolisé with a little alcohol in it

A Comprehension check

Listen to Passage 1 and complete the sentences below:

1 Jean-Robert goes into the baker's to get
- **a** bread.
- **b** cakes.

2 The boulangère hasn't got any . . . tarts today.
- **a** apricot
- **b** pear

3 Jean-Robert
- **a** says the lemon tartlets look nice.
- **b** buys a currant bun and an almond tart.

4 He thinks
- **a** that's everything.
- **b** he will buy something else.

Now listen to Passage 2 and answer the questions:

5 Does Jean-Robert prefer milk chocolate or plain chocolate?

6 What flavour does he prefer?

7 Does he want to buy liqueur chocolates?

B Equivalents

Listen to Passage 1 again and find the French equivalents for these phrases:

1. I'll have an almond tart.
2. And I'll have a currant bun, too.
3. I think that will be everything.
4. How much do I owe you?
5. Many thanks.

C What's in it?

Use **au/à la/à l'/aux** to indicate what is in something, as in **tarte aux cerises** and **pain aux raisins**.

Practise asking for these things:

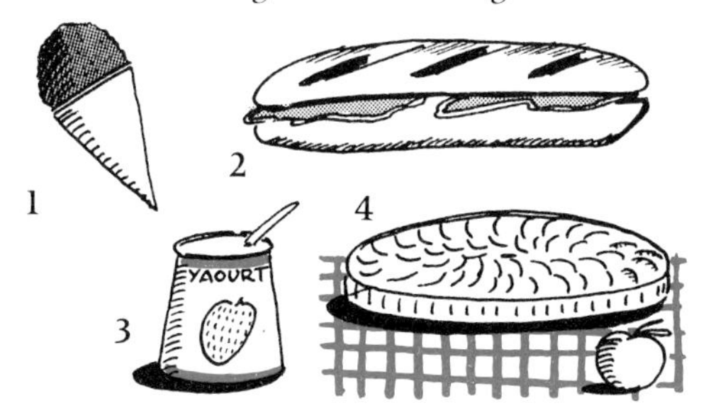

D Quels parfums préférez-vous?

What flavours do you like best?

Practise asking your partners about *their* likes and preferences – in foods, films, music, etc. and which types they like most.

E Celui-ci . . . Celui-là

This one . . . That one

Remember that **celui** changes depending on gender and number as indicated in the table below:

	masculine	*feminine*
singular	celui	celle
plural	ceux	celles

Imagine one of you is the shopkeeper, the other is the customer. The item you want to buy is listed first, and details of what the shopkeeper has to offer are on the next two lines. Act out the situation in the shop and complete the transaction.

un porte-monnaie
noir – en cuir – F88
bleu – en synthétique – F42

des chaussettes
violettes à pois rouges – F45
noires – en laine – F67,50

Make up your own examples of dialogues in shops where the shopkeeper offers different alternatives and asks about your tastes (in ice-cream, clothes, records, postcards, etc.). Act out the best one for the rest of the class.

Useful Expressions

Je voudrais **J'aurais voulu**	**un gâteau** **une tarte aux pommes** **du thé** **de la confiture** **de l'huile** **des poires**
I'd like	a cake an apple tart some tea some jam some oil some pears

Avez-vous quelque chose de plus grand/ petit?
Have you got something bigger/smaller?

Avez-vous la même chose en bleu?
Do you have the same thing in blue?

J'aimerais mieux quelque chose en coton (laine/nylon/cuir/plastique/bois).
I'd prefer something in cotton (wool/nylon/ leather/plastic/wood).

le pantalon à 85 francs
the 85-franc pair of trousers

une glace au chocolat
a chocolate ice-cream

à la crème fraîche with fresh cream

à l'huile d'olive in olive oil

aux amandes with almonds

Combien en voulez-vous?
How much would you like?

Je voudrais les faire laver/réparer/ repasser.
I'd like to have them washed/repaired/ironed.

Combien de temps est-ce que cela prendra?
How long will it take?

Quand puis-je venir les chercher?
When can I pick them up?

Et avec ça? Vous désirez autre chose?
Is that everything?

C'est tout, merci.
That is everything, thanks.

Je vous dois combien?
How much do I owe you?

C'est combien? How much is it?

Ils sont à combien le kilo? C'est combien le kilo?
How much are they a kilo?

Voilà exactement ce qu'il me faut.
That's just what I want.

Je le/la/les prends. I'll take it/them.

Je regrette. Ce n'est pas tout à fait ce qu'il me faut.
I'm sorry. It's not quite what I wanted.

Pouvez-vous me faire un paquet-cadeau/ me l'envelopper?
Could you gift-wrap it/wrap it up?

Vous payez à la caisse, monsieur/ mademoiselle.
When you buy something in certain shops you are given a chitty stating how much you owe. You should take it to a central cash-desk in order to pay. They give you a receipt which you take over to the original salesperson – you can then pick up your shopping!

Metric equivalents

It's useful to remember that

100 grammes = (approx.) 0.25 lb.
1 kilo = 2.2 lb.
1 litre = 1.76 pints

Quelle taille faites-vous?
What size (in clothes) do you take?

GB:	8	10	12	14	16	18	20	22
France:	36	38	40	42	44	46	48	50

Vous chaussez du combien?
What size shoes do you take?

GB:	3	4	5	6	7	8	9	10
France:	36	37	38	39/40	41	42	43	44

Role-play

Act out these shopping situations with your partner.

1 La pâtisserie

Vous: (Greet the pâtissière. Say you would like a cake, please, and ask what sort they've got.)
La pâtissière: Nous avons des tartes.
Vous: (Say yes, you would like a cherry tart.)
La pâtissière: Oui, cette tarte-ci à 5 francs ou . . .
Vous: (Say no, you will take one like this at 25 francs.)
La pâtissière: Bien sûr, monsieur/ mademoiselle. Et avec ça?
Vous: (Say you'll also take two currant buns and a rum baba.)
La pâtissière: A la crème fraîche?
Vous: (Yes, with fresh cream, please.)
La pâtissière: C'est tout?
Vous: (Say yes, you think that will be everything and ask how much you owe her.)
La pâtissière: Alors, ça vous fait 35,60F monsieur/mademoiselle.
Vous: (Say here you are, and thank her.)

2 Les grands magasins

La vendeuse: Bonjour, monsieur/ mademoiselle. Vous désirez?
Vous: (Say you would like a sweater and ask what she has got.)
La vendeuse: J'ai celui-ci en synthétique.
Vous: (Say you would prefer something in wool.)
La vendeuse: Oui, bien sûr. J'ai ce chandail-ci en pure laine.
Vous: (Say that is just what you need and ask if she has the same thing in green.)
La vendeuse: Oui. Voilà. Quelle taille faites-vous?
Vous: (Say what size you take and ask if you can try it on.)
La vendeuse: Bien sûr, monsieur/ mademoiselle.

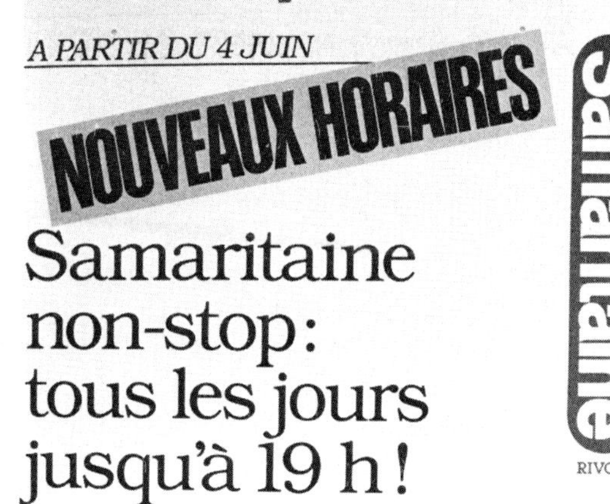

Quelques minutes plus tard
Vous: (Say you will take it. Ask if she could wrap it up, please.)
La vendeuse: 150 francs s'il vous plaît, monsieur/mademoiselle.
Vous: (Say here you are, thank her, and say goodbye.)

3 Work on this situation with your partner.

You decide to buy your sister a pair of espadrilles, those (cheap!) attractive rope-soled sandals. You see a blue pair in a shop-window. Go in and say you would like a pair in a size five (look on the metric equivalent chart opposite to find the continental size). Ask if they have got the same thing in yellow and when (s)he brings them, say that is exactly what you want and you will have them. Ask if (s)he could wrap them up for you, pay, and say goodbye.

4 You take a pair of shoes into the mender's to be repaired. Ask how long it will take and when you should pick them up.

5 You see an advertisement for a T-shirt in a French magazine. Write a letter asking if they could send you one, stating the size and the colour you would like.

5 Au café

1 Le petit déjeuner

Jean-Robert: Bonjour, monsieur. J'aurais voulu mon petit déjeuner ce matin.
Le réceptionniste: Oui, que désirez-vous? Thé, café, chocolat?
Jean-Robert: Disons, un thé, s'il vous plaît. Un thé au lait.
Le réceptionniste: Un thé au lait. Croissants, confiture, beurre?
Jean-Robert: Oui, croissants, confiture, beurre.
Le réceptionniste: Bien entendu.
Jean-Robert: Merci. Vous ne faites pas le petit déjeuner anglais?
Le réceptionniste: Non. Pas du tout. C'est le petit déjeuner continental.
Jean-Robert: Très bien.
Le réceptionniste: Vieilles habitudes françaises.
Jean-Robert: Mais c'est parfait. Bien. Je prendrai un petit déjeuner français.
Le réceptionniste: Entendu.
Jean-Robert: Merci, monsieur.
Le réceptionniste: Merci.

les habitudes customs
(bien) entendu right, of course

2 Vous avez des glaces?

Jean-Robert: Bonjour, mademoiselle.
La serveuse: Bonjour, messieurs-dames.
Jean-Robert: Je voudrais un café et puis un . . . un citron pressé pour mademoiselle. Et puis, vous avez des sandwichs?
La serveuse: Oui, bien sûr. A quoi vous voulez? J'ai jambon, pâté, fromage, rillettes, saucisson.
Jean-Robert: Saucisson. Bon. Un sandwich saucisson, alors.
La serveuse: Beurre?
Jean-Robert: Beurre, oui. Et des glaces. Vous avez?
La serveuse: Des glaces, oui. J'ai mystère, parfait, cassate, des sorbets autrement après j'ai des coupes.
Jean-Robert: Ah mystère oui, qu'est-ce que c'est?
La serveuse: Le mystère, c'est de la glace avec de la noisette dessus et de la meringue à l'intérieur et le parfait, c'est au café, c'est une glace qui est très bonne, tout au café. Vous avez la cassate, c'est avec des fruits à l'intérieur.
Jean-Robert: Ah bon alors, je prendrais plutôt un parfait au café.
La serveuse: Parfait au café. D'accord.
Jean-Robert: Merci, mademoiselle.
La serveuse: De rien . . .

. . .

Jean-Robert: Donc on va vous régler maintenant.
La serveuse: Oui.
Jean-Robert: Voilà.
La serveuse: Merci. 12,65F. Je vais chercher la monnaie.
Jean-Robert: Le service est compris?
La serveuse: Service compris. Alors 12,65F, 12,70F, 13,15, et 5,20. Merci, messieurs-dames.
Jean-Robert: Merci beaucoup, mademoiselle.

un citron pressé a fresh lemon juice drink
rillettes potted meat
la noisette hazelnut
à l'intérieur inside
régler to pay
chercher la monnaie to fetch the change

3 Vous ne faîtes pas de croque-madame?

Jean-Robert: Bonjour, madame.
La serveuse: Bonjour.

Jean-Robert: Je voudrais un Orangina, s'il vous plaît et puis un Coca-Cola.
La serveuse: Coca-Cola, oui.
Jean-Robert: Et vous avez des choses à manger?
La serveuse: Alors, nous avons des croque-monsieur, des hot-dogs, des frites, des steaks-frites, des saucisses-frites.
Jean-Robert: Bien alors je crois que je prends un croque-monsieur et puis euh . . . Vous ne faites pas de croque-madame?
La serveuse: Non, non, non. Je ne fais pas avec les oeufs.
Jean-Robert: D'accord. Bon. Alors. Un croque-monsieur, un Orangina et un Coca-Cola.
La serveuse: D'accord.
Jean-Robert: Merci, madame.
La serveuse: Merci.

le croque-monsieur toasted ham and cheese sandwich
le croque-madame toasted cheese sandwich with ham and fried egg

A Comprehension check

Listen to Passage 1 on the tape, several times if necessary, and answer the questions:

1 Jean-Robert is having
  a continental breakfast.
  b English breakfast.

2 He is having **a** tea.
  b coffee.

3 He takes it **a** black.
  b with milk.

4 He would like **a** butter.
  b marmalade.

Now listen to Passage 2, then answer the questions:

5 What drinks does Jean-Robert order?
6 What sort of sandwiches can he choose from?
7 What does he have?
8 What does he ask about next?
9 What is in a **mystère**? **parfait**? **cassate**?
10 What does Jean-Robert choose in the end?
11 Is the service included?

Listen to Passage 3 and answer the questions:

12 What drinks does Jean-Robert order?
13 What does this café have to eat?
14 What does Jean-Robert order to eat?
15 What is the difference between a croque-monsieur and a croque-madame?

B Je prendrai un petit déjeuner français.

Say you will have these things:

C Phrase it like this

How does Jean-Robert ask these things:

1 Do you do sandwiches?
2 What is a **mystère**?
3 Ah well then, I'd rather have a **parfait au café**.

Using the same phrases, how would you:

4 ask if they do
  a drinks
  b snacks
  c set menus
  d espresso coffee
  e draught beer?

5 inquire what these things are:
  a salade niçoise   **c** crème caramel?
  b escalope
6 say well then, you would rather have
  a fresh lemon juice
  b a cheese sandwich
  c an ice-cream with fruit in it?

D Equivalents
How does Jean-Robert

1 say he'll settle up now?
2 ask if service is included?
3 ask if they have anything to eat?
4 say he thinks he'll have a toasted sandwich?

Practise saying you think you'll have
a a coke   **c** an orangeade
b tea with milk   **d** a toasted sandwich.

Useful Expressions

Au café:

un petit déjeuner complet/un café complet continental breakfast

un (petit) café a (small) black coffee

un café au lait/un café crème white coffee

un thé au lait/nature/citron
white/black/lemon tea

Vous avez des sandwichs?
Have you got any sandwiches?

Vous ne faites pas des petits déjeuners anglais/des croque-madame?
You don't make English breakfasts/croque-madame?

Qu'est-ce que vous avez comme boissons/casse-croûtes?
What sort of drinks/snacks have you got?

un sandwich au jambon/aux rillettes/au fromage/au saucisson
a ham/potted meat/cheese/salami sandwich

une glace au chocolat/aux fraises/au café
a chocolate/strawberry/coffee ice-cream

un chocolat chaud hot chocolate

un jus de fruit (orange/pomme/pamplemousse/ananas)
a fruit juice (orange/apple/grapefruit/pineapple)

un orangina/un coca/un frappé
an orangeade/a coke/a milk-shake

un citron pressé/une orange pressée
fresh lemon/orange juice

un hot-dog/des frites a hot dog/chips

Au restaurant:

Une table pour quatre personnes, s'il vous plaît, monsieur.
A table for four, please, monsieur.

Pouvez-vous m'apporter la carte?
Could you bring me the menu?

Avez-vous des menus à prix fixe?
Have you got a set price menu?

On prendra le menu à 50 francs.
We'll have the 50-franc menu.

Comme hors d'oeuvre je voudrais oeufs mayonnaise.
I'd like egg mayonnaise as a starter.

'Crudités assorties', qu'est-ce que c'est?
What is 'crudités assorties'?

Et puis je prendrai un bifteck.
And then I'll have steak.

bien cuit/à point/saignant/bleu
well done/medium/rare/extremely rare

Encore un peu de pain, s'il vous plaît.
A little more bread, please.

Qu'est-ce que vous avez comme dessert?
What is there for pudding?

On va vous régler maintenant.
We'll pay now.

L'addition, / **La note,** | **s'il vous plaît.**
Can I have the bill, please.

Est-ce que le service est compris?
Is service included?

Role-play

Act out these situations in a café or restaurant with your partner.

1 Au café

Le propriétaire: Bonjour, monsieur/mademoiselle. Qu'est-ce que vous prenez?
Vous: (Say you would like breakfast please.)
Le propriétaire: Bien sûr. Des tartines, de la confiture?
Vous: (Ask if he has any croissants.)
Le propriétaire: Je regrette, je n'ai plus de croissants.
Vous: (Say right, yes, bread and butter and jam.)
Le propriétaire: Thé, café, chocolat?
Vous: (Say you would like tea with milk.)
Le propriétaire: Très bien, monsieur/mademoiselle.
Vous: (And you would also like an orange juice.)
Le propriétaire: Bon, alors un petit déjeuner, un thé au lait et un jus d'orange.
Vous: (Say that's it and thank him.)

2 Au restaurant

Study the menu on the right.
Make sure you know what all the dishes are before acting out the conversation with your partner.
Vous: (Greet the waiter and ask for a table for two.)
Le garçon: Oui, monsieur/mademoiselle – voilà. Et voici la carte.
Vous: (Thank him. Say you'll have egg mayonnaise and oysters for starters.)
Le garçon: Bien.
Vous: (And then you'll have a pepper steak and an omelette.)
Le garçon: Bien sûr. Le steak, vous le voulez bien cuit, à point?
Vous: (Say well done.)
Le garçon: Et pour boire?
Vous: (Say you'll have a quarter litre of wine and some mineral water.)
Plus tard
Le garçon: Prendrez-vous un dessert?
Vous: (Ask him what ice-creams he has got.)
Le garçon: Fraise, chocolat, cassate, mystère . . .
Vous: (Say yes, a cassata for you, please. And an apple tart. And two coffees.)
Le garçon: Bien. Voilà.
Vous: (Say you'll settle up now, please.)
Le garçon: Bien sûr. Voici votre note, monsieur/mademoiselle.
Vous: (Say thanks and goodbye.)

3 With your partner make up two sketches in which you order drinks and snacks in a café just as you would in France.

4 Using the menu below, act out the situation in the restaurant with your partner, making your own choice for hors d'oeuvres, main course and dessert. Swap roles so that you both have a turn at ordering.

5 Look at this typical French menu.

AU GIGOT FIN
Menu à 60 francs

Hors d'oeuvres
Oeuf à la mayonnaise
Huîtres
Crudités assorties

Plats au choix
Steak au poivre
Escalope de veau pannée
Poulet rôti
Omelette aux fines herbes

Légumes
Haricots verts
Pommes frites

Le plateau de fromages

Desserts
Tarte aux pommes
Ananas au kirsch
Crème caramel
Glace

1/4 vin rouge ou 1/4 Vittel

Now make up a menu of *your* choice, including all your favourite French dishes.

6 Le médecin

There is no NHS in France so you have to pay the doctor yourself, then claim the money back from the Social Security. You should fill in a form E111 *before* you leave Britain and make sure you go to the relevant district office with the piece of paper the doctor or chemist gives you before you leave France.

1 Bonjour, docteur

Jean-Robert hurt his foot so he went to the doctor's.

Jean-Robert: Bonjour, docteur. Je viens vous voir parce que je me suis fait mal en tombant . . . en marchant . . .
Le médecin: Oui, vous marchez mal?
Jean-Robert: Oui, j'ai très mal à mon pied droit. Je crois que je me suis fait . . . euh . . . tordu la cheville quoi . . . Vous voulez examiner?
Le médecin: Bon. Nous allons examiner ça. Est-ce que je vous fais mal? Et par ici?
Jean-Robert: Oui.
Le médecin: Oui. L'extérieur. Ça, c'est la partie externe. Donc euh oui, c'est une entorse pratiquement. Ça paraît être une simple entorse mais il va falloir vous soigner alors il faudrait qu'on vous fasse une piqûre de Novocaïne . . .
Jean-Robert: Oui.
Le médecin: . . . d'abord. Après quoi il faudra pendant quelques jours vous faire des bains chauds.
Jean-Robert: Oui.
Le médecin: Des bains qu'on rechauffera à mesure plusieurs fois par jour et des frictions dans l'intervalle avec une pommade à . . . au Phénylbutazone.
Jean-Robert: Bien.
Le médecin: Si vous continuez à avoir très mal, il faudra faire une radio pour voir s'il n'y aurait pas une fracture d'une malléole.
Jean-Robert: Ah bon. Et la radio, je la fais où?
Le médecin: A la Croix Rouge par exemple.
Jean-Robert: A la Croix Rouge. Bien. Bien, merci, docteur. Alors, c'est mon ordonnance. Je vous dois combien, s'il vous plaît?
Le médecin: Rien du tout. Non, non, non, ce n'est rien. C'est un conseil.
Jean-Robert: Merci, docteur.

je me suis fait mal I hurt myself
j'ai très mal à mon pied my foot is very painful
tordre la cheville to twist your ankle
faire à quelqu'un mal to hurt someone
l'extérieur, la partie externe the outside, external part
une entorse sprain
falloir to have to
se soigner to look after yourself
une piqûre injection
une pommade ointment
faire une radio have an X-ray
une malléole ankle-bone
la Croix Rouge the Red Cross
une ordonnance prescription
un conseil a piece of advice

2 La pharmacie

Jean-Robert: Bonjour, madame.
La pharmacienne: Monsieur.
Jean-Robert: Je voulais vous demander – est-ce que vous avez quelque chose contre le mal de mer?
La pharmacienne: Oui, des comprimés, la Nautamine, la Dramamine.
Jean-Robert: Ben, je peux avoir une boîte de Nautamine.
La pharmacienne: Nautamine, d'accord.
Jean-Robert: Il faut les prendre tous les combien s'il vous plaît?
La pharmacienne: Ça dépend du trajet que vous avez à faire. En principe ça dépend si vous avez longtemps . . . un long parcours à faire ou alors si vous avez quelques

kilomètres, quoi, ça dépend . . . Et ça dépend si c'est pour adultes ou si c'est pour enfants aussi.

Jean-Robert: Oui. Si je prends le bateau disons il vaut mieux le prendre avant . . . ?

La pharmacienne: En général il vaut mieux le prendre euh 20 minutes avant, quand même.

Jean-Robert: D'accord. Bon.

La pharmacienne: Et un comprimé suffit.

Jean-Robert: Et un comprimé suffit. Bien.

La pharmacienne: 32,80F.

Jean-Robert: Oui. Merci beaucoup, madame.

La pharmacienne: 33 – merci.

Jean-Robert: Bon après-midi.

La pharmacienne: Merci, vous aussi.

le mal de mer sea-sickness
des comprimés tablets
il faut les prendre tous les combien? how often do I have to take them?
un trajet/un parcours a trip
il vaut mieux . . . it's better to . . .
suffire to suffice, be enough

A Comprehension check

Listen carefully to the conversation at the doctor's and then answer these questions:

1 How did Jean-Robert hurt his foot?
2 Which foot was it?
3 What does he think he has done?
4 What does the doctor think it is?
5 What treatment does she recommend?
6 What should he do if the pain continues?
7 How much does the doctor charge?

Now listen to the conversation in the chemist's shop and choose the correct answer **a** or **b**.

8 For sea-sickness, Jean-Robert buys some tablets called **a** Nautamine.
b Dramamine.

9 The dose depends on
a the size of the tablet.
b the length of the journey.

10 It also depends on
a whether you are a child or an adult.
b how sick you feel.

11 You should take the tablets
a every two hours.
b 20 minutes before you leave.

12 You should take **a** one tablet.
b two tablets.

B Je me suis fait mal en marchant

Practise saying you hurt yourself while doing these things:

C Avez-vous quelque chose pour . . . ? / contre . . . ?

You use **contre** for preventive medicine, like sea-sickness tablets or sun-barrier cream, **pour** when it is too late and you need a cure!
Practise asking if the chemist has got something for **le mal de mer, les piqûres d'insecte, un coup de soleil, la diarrhée, la constipation, la grippe**.

D Equivalents

Find the French equivalents in the texts for:

1 You'll have to look after yourself.
2 You'll have to have an X-ray.
3 This is my prescription.
4 How often should I take them?
5 It's best to take it 20 minutes before.
6 One tablet is enough.

Useful Expressions

Est-ce que je peux avoir un rendez-vous chez le docteur/dentiste?
Can I have an appointment with the doctor/dentist?

Qu'avez-vous? Où avez-vous mal?
What's the trouble?

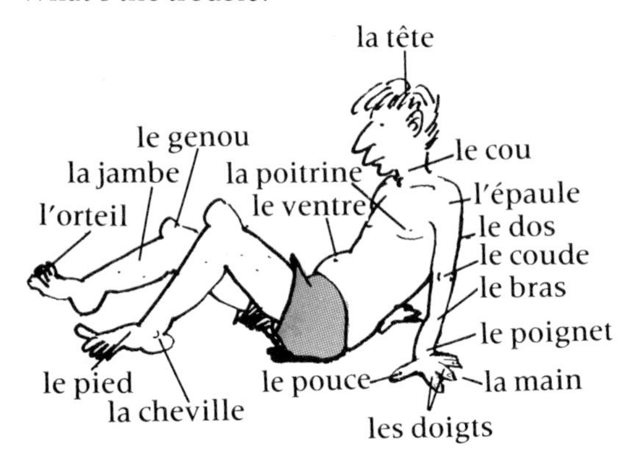

Je me suis fait mal / **J'ai mal** | **à/au/à la/à l'/aux** . . .
I've hurt . . . I've got a sore . . .

J'ai mal à la gorge et je tousse.
I've got a sore throat and a cough.

J'ai de la fièvre. I've got a temperature.

J'ai eu des vomissements. I've been sick.

J'ai mal au coeur.
I feel sick. (*NB Not broken-hearted!*)

J'ai une crise de foie *(a very common French complaint!)*
I feel a bit liverish, I don't feel too good.

J'ai attrapé la grippe/un refroidissement.
I've caught 'flu/a cold.

J'ai mal aux dents. I've got toothache.

J'ai perdu un plombage. I've lost a filling.

Qu'est-ce que vous recommandez pour . . ./ contre . . .?
What can you recommend for . . .?

Je voudrais des aspirines/du sparadrap/de la crème solaire.
I'd like some aspirins/plasters/sun-cream.

Pouvez-vous me donner une ordonnance/ des pastilles/une pommade pour les démangeaisons?
Could you give me a prescription/some throat lozenges/an ointment for insect bites?

Avez-vous quelque chose contre la diarrhée?
Have you got anything for diarrhoea?

Vous n'avez rien pour un coup de soleil/ calmer la douleur?
Have you got anything for sunburn/to soothe the pain?

Quand faut-il le prendre?
When do I have to take it?

Il faut les prendre tous les combien?
How often do I have to take them?

Combien faut-il prendre?
How many do I have to take?

Un comprimé suffit. One tablet is enough.

Role-play

With your partner act out these situations at the doctor's and chemist's.

1 Chez le médecin

Vous: (Greet the doctor and say you have got a sore throat and a cough.)
Le médecin: Oui, avez-vous eu des vomissements?
Vous: (Tell her you have not been sick but you *feel* sick and you have got a temperature.)
Le médecin: Alors, je vais prendre votre température . . . oui . . . C'est une grippe.
Vous: (Ask her what you have to do.)
Le médecin: Il faut rester au lit, surveiller la température.
Vous: (Ask her if you have to take something.)
Le médecin: Non, non. Si la fièvre monte il faut revenir me voir. Sinon, rester au chaud et boire beaucoup pour bien éliminer.
Vous: (Say OK, thank the doctor very much, and ask how much you owe her.)
Le médecin: Oh, rien du tout. C'est un simple conseil.

2 A la pharmacie

Vous: (Greet the chemist and ask him if he has got anything for sunburn.)
Le pharmacien: Une crème adoucissante?
Vous: (Say yes, and ask what he recommends.)
Le pharmacien: Alors, la crème Vichy est très bonne.
Vous: (Say yes, you'll take some crème Vichy and ask if he has got something for a headache.)
Le pharmacien: Je vous donne un tube d'aspirines?
Vous: (Say OK and ask him how many tablets you have to take.)
Le pharmacien: Un comprimé suffit.
Vous: (And ask him how often you have to take them.)
Le pharmacien: Toutes les quatre heures. Mais si la douleur continue, il faut consulter un médecin.
Vous: (Say of course and ask how much it comes to.)
Le pharmacien: Alors, 19,50F.
Vous: (Say here you are, thank him, and say goodbye.)
Le pharmacien: Merci. Au revoir, monsieur/mademoiselle.

3 You've lost your sponge-bag. With your partner act out the conversation at the chemist's in which you buy all the things you need. Here are some words to help you:

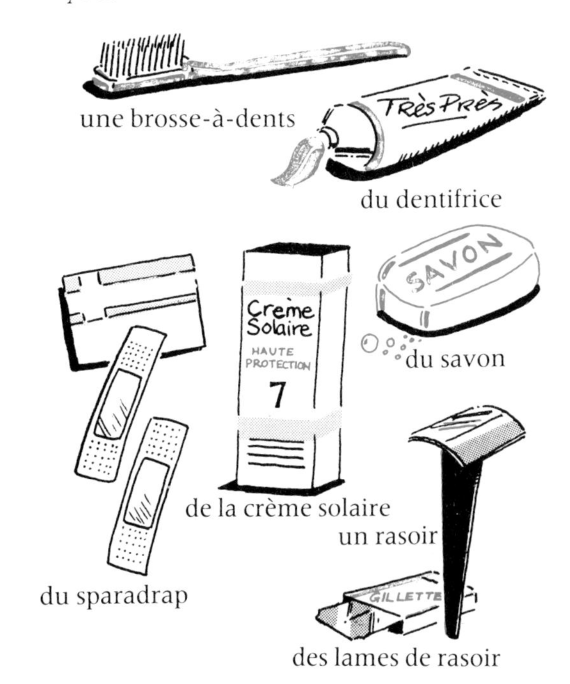

4 Often you can ask the chemist for advice before going to the doctor. You've done something to your wrist whilst playing volleyball on the beach. Act out the conversation at the chemist's when you go to ask for advice. (S)he says it's simply a sprain and (s)he'll put on a bandage for you (**mettre un pansement**).

5 You've spent a couple of weeks with a friend in Paris and you're due to go to another friend's house in Nice for a fortnight. But you feel awful! You've got a temperature and a nasty cold. Write a letter to your friend, explaining the situation and saying you will arrive next Saturday if all goes well.

7 Divertissements

1 Le théâtre

L'employée:	Alors, vous désirez, monsieur?
Jean-Robert:	Bonjour, madame. J'aurais voulu savoir quelle est la pièce aujourd'hui?
L'employée:	Alors ce soir on joue une pièce de Gombrowiscz à la salle Gémier à 20h30.
Jean-Robert:	20h30. Et vous avez encore des places?
L'employée:	J'ai encore des bonnes places vers le dix- ou onzième rang.
Jean-Robert:	Bien. Quel est le prix, s'il vous plaît?
L'employée:	Alors vous avez des places à 60 francs et 36 les moins de 25 ans.
Jean-Robert:	Moins de 25 ans. Bien. Et est-ce que vous savez à quelle heure finit la pièce, s'il vous plaît?
L'employée:	Oh, elle est très longue, elle dure trois heures. Aux alentours de minuit. Mais vous avez des métros encore.
Jean-Robert:	Ah bon. Et on peut réserver pour la semaine prochaine?
L'employée:	La semaine prochaine à partir de mercredi parce que pendant les fêtes on ne joue pas.
Jean-Robert:	Donc il faut réserver une semaine à l'avance?
L'employée:	En principe mais ça se termine le dix-sept.
Jean-Robert:	Ah bon.
L'employée:	La dernière le dix-sept. Alors la semaine prochaine vous avez mercredi, jeudi, vendredi, samedi et dimanche.
Jean-Robert:	Bon. Très bien. Ben, je crois que je vais prendre une place alors vers le onzième rang comme vous aviez dit pour ce soir.
L'employée:	D'accord. Pour ce soir. D'accord. Alors ce sera 60 francs.
Jean-Robert:	Tiens. Merci beaucoup, madame.

la pièce play
une place a seat
le rang row
à partir de starting from
à l'avance in advance
en principe generally speaking
terminer to finish

2 Le cinéma

L'employée:	Bon, alors, qu'est-ce que vous voulez savoir?
Jean-Robert:	Bonjour, madame. Qu'est-ce qu'on joue aujourd'hui?
L'employée:	Vous avez Fort Saganne avec Gérard Depardieu.
Jean-Robert:	Bien. Et c'est à quelle heure, la séance, s'il vous plaît?
L'employée:	Alors, vous avez la séance . . . la prochaine à 17h20.
Jean-Robert:	17 heures.
L'employée:	20 hein?
Jean-Robert:	Oui, d'accord. C'est un film pour tout public?
L'employée:	Tout public.
Jean-Robert:	Bon. Et vous faites réduction-étudiant?
L'employée:	Non. Il n'y a pas d'étudiant ici.
Jean-Robert:	Ni pour jeunes, ni rien.
L'employée:	Non, nous faisons juste les tarifs réduits pour le troisième âge en matinées en semaine seulement.
Jean-Robert:	Le lundi, il y a . . .?
L'employée:	Le lundi il y a la réduction pour tout le monde.
Jean-Robert:	Pour tout le monde.
L'employée:	Mais aucune réduction ni le samedi ni le dimanche.
Jean-Robert:	D'accord. Le film se termine à quelle heure, s'il vous plaît?
L'employée:	En rentrant à 17h20, vous sortez à 20h45.
Jean-Robert:	20h45. Et c'est la dernière séance?
L'employée:	Oui, il n'y a que trois séances avec ce film.

Jean-Robert: Trois séances. Bon. Parce que c'est un film plus long, c'est ça?
L'employée: Oui. Ça fait trois heures.
Jean-Robert: Bien. Merci. Merci, madame.
L'employée: Je vous en prie.
Jean-Robert: Au revoir.
L'employée: Au revoir.
Jean-Robert: Bon après-midi.

la séance showing
le troisième âge senior citizens
tout le monde everyone

A Comprehension check

Listen to the conversation at the box-office of the Théâtre National (Passage 1) and answer the questions:

1 Give details of tonight's performance.
2 Are there any good seats left?
3 How much is it?
4 What time does the play finish?
5 What does the woman say about this?
6 What days are they open next week?
7 Why are they shut some of the time?
8 What does the woman mean by 'la dernière, le dix-sept'?

Listen to the conversation at the cinema ticket office (Passage 2) and choose the correct answer **a** or **b**.

9 Gérard Depardieu is a famous French
a film.
b actor.

10 The next showing is at
a 5 o'clock, then 8 o'clock.
b Twenty past five.

11 The film is suitable
a for children.
b for over 18s only.

12 In the week there are reductions for
a students.
b senior citizens.

13 The price is reduced for everyone on
a Monday.
b Saturday and Sunday.

14 The film is
a two hours long.
b three hours long.

15 It finishes at
a quarter to nine.
b quarter past eight.

16 In this cinema they usually have
a three showings.
b more than three showings.

B Find the questions

Here are the replies from the person at the box-office. What were the questions? You will find them in Passage 1.

a On joue une pièce de Molière.
b Oui, j'ai encore de bonnes places.
c Elle est très longue, la pièce – vous sortez à minuit.
d Oui, vous pouvez réserver pour la semaine prochaine.

C Solve the puzzle by finding the missing words in the sentences below:

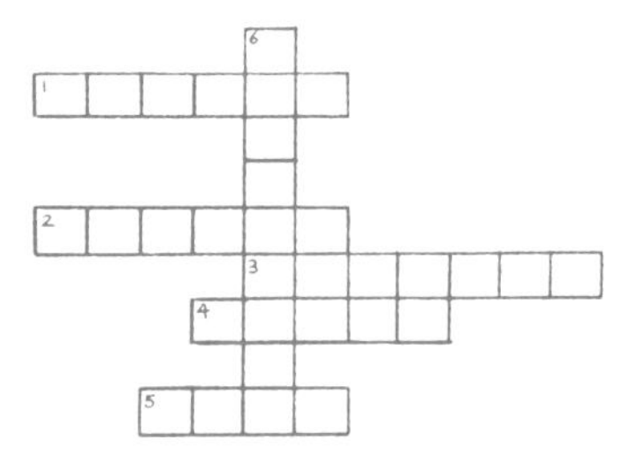

1 Vous avez des ______ libres?
2 La prochaine ______ commence à quelle heure?
3 Et à quelle heure le film se ______-t-il?
4 Au Théâtre National on joue une ______ de Gombrowicz.
5 On a des places au dixième ______.
6 Le lundi il y a la ______ pour tout le monde.

Useful Expressions

In Paris, buy a copy of *Pariscope* to find out what is on at the cinema and theatre. It gives information about exhibitions and concerts as well and there is a section especially **pour les jeunes**.

Qu'est-ce qu'on donne/passe/joue aujourd'hui?
What is showing today?

une pièce de Molière a play by Molière

un film de Truffaut a Truffaut film

C'est quel genre de film?
What sort of film is it?

un film d'espionnage a spy-thriller
un film policier a cops-and-robbers film
un film d'horreur/d'aventures
a horror/adventure film
un film de guerre/d'amour
a war/romantic film
un western a cowboy film
un dessin animé a cartoon
une comédie dramatique/un film comique a comedy film
un documentaire a documentary

La prochaine séance commence/se termine à quelle heure?
What time does the next showing start/finish?

203 KINOPANORAMA 15e

FORT SAGANNE

203 KINOPANORAMA 60 Av de La Motte-Picquet. 306.50.50. M° La Motte-Picquet. Film : 14h, 17h20, 20h40. Pl : 35 F. C.V. : 25 F. Etud et lycéens : 25 F (sf Ven soir, Sam, Dim, fêtes et veilles de fêtes). Lun tarif unique : 25 F.
Fort Saganne 70 mm dolby stéréo.

Est-ce que le film est | sous-titré? / doublé?
Is the film | subtitled? / dubbed?

C'est en version originale?
Has it got the original sound-track?

Vous avez encore des places libres?
Have you still got some spare seats?

Deux places | à l'orchestre, / au balcon, | s'il vous plaît.
Two seats | in the stalls / in the balcony | please.

Un orchestre, / Un balcon, | s'il vous plaît.
One seat in the | stalls / balcony | please.

C'est un film pour tout public?
Is it a U-certificate film?

Vous faites une réduction- | étudiant? / lycéen?
Do you do a | student / school | reduction?

Qui est le metteur en scène?
Who is the director?

Qui joue le rôle principal?
Who plays the lead?

Don't forget to tip the usherette!
In France it is customary to give the usherette a tip as she shows you to your seat.

Role-play

Act out these situations at the box-office with your partner.

> ***La Leçon***
> d'Eugène Ionesco. Mise en scène Marcel Cuvelier. Avec les comédiens de la Huchette.
> Un professeur timide, une élève insolente. Mais les rôles vont changer, la situation se renverser. Lui tyrannique, elle soumise, ce nouveau rapport de forces se résoudra par un crime.
> A 21h30. Pl : 60 F. Tarif réduit 40 F :

1 Au théâtre

Vous: (Greet the theatre employee and ask what they are showing tonight.)
L'employée: Ce soir on joue *La Leçon* d'Ionesco.
Vous: (Ask if they have still got some spare seats.)
L'employée: Oui, nous avons des places au septième rang.
Vous: (Say yes, that's fine and ask how much it is.)
L'employée: 70 francs. 35 francs pour les moins de 25 ans.
Vous: (Say you'll have two seats – for under 25s – in the seventh row.)
L'employée: D'accord.
Vous: (Ask what time the play starts.)
L'employée: A huit heures trente, monsieur/mademoiselle.
Vous: (Thank her and say goodbye.)

2 Au cinéma

You decide to go and see *Fort Saganne*.
Vous: (Ask what time the next showing starts.)
L'employée: A 8h40.
Vous: (Ask what type of film it is.)
L'employée: C'est un film à grand spectacle.
Vous: (Ask her how much it costs.)
L'employée: 35 francs, monsieur/mademoiselle.
Vous: (Ask if there is a reduction for people still at school.)
L'employée: Oui, une réduction-lycéen, c'est 25 francs.
Vous: (Right, say you'll have two seats in the stalls.)
L'employée: D'accord. Cela vous fait 50 francs.
Vous: (Say there you are and ask what time the film ends.)
L'employée: A 23h45 monsieur/mademoiselle.

3 Decide which of the films advertised below you would like to go and see and act out the conversation at the box-office with your partner. Swap roles so that both of you have a turn at asking the questions.

L'ETOFFE DES HEROS. The right stuff. 1982-83. 3h10. Film d'aventures américain en couleurs de Philip Kaufman avec Sam Shepard, Scott Glenn, Ed Harris, Barbara Hershey, Dennis Quaid, Pamela Reed.
La grande aventure spatiale américaine : 20 années de lutte et d'espoir pour atteindre la maîtrise de l'espace. Réalisée avec tout le luxe dont est capable le cinéma américain, une super-production fascinante tant pour l'esprit que pour les yeux. Ce film vient d'obtenir 4 oscars à Hollywood. **♦Ciné Beaubourg Les Halles 23** v.o. **♦UGC Odéon 77**

LE SANG DES AUTRES. 1983. 2h10. Comédie dramatique française en couleurs de Claude Chabrol avec Jodie Foster, Michael Ontkean, Stéphane Audran, Sam Neill, Lambert Wilson.
En toile de fond, la drôle de guerre et l'occupation nazie. Inspirée par un roman de Simone de Beauvoir, l'histoire de deux jeunes gens qui s'aiment dans une France déchirée. Une distribution internationale pour l'auteur des « Cousins ». **♦Paramount Opéra 132**

SCARFACE. 1983. 2h45. Film policier américain en couleurs de Brian de Palma avec Al Pacino, Steven Bauer, Michelle Pfeiffer, Mary-Elizabeth Mastrantonio, Robert Loggia.
Remake du célèbre film d'Howard Hawks : le destin du gangster Tony Montana dont le modèle fut en son temps Al Capone. Une peinture au vitriol d'une grande violence sur la drogue et ses méfaits. Int — 13 ans. **♦Arcades 7** v.f.

SCENARIO DU FILM PASSION. 1982. 55mn. Comédie dramatique française en couleurs de Jean-Luc Godard
Devant son écran, Godard reconstitue après coup la genèse des mille et une histoires qui trament son film « Passion ». **♦Studio 43 133**

SOLLERS AU PARADIS. 1983. 1h. Film de science-fiction français en couleurs de Jean-Paul Fargier avec Philippe Sollers.
Ayant avalé une marguerite de machine à écrire, l'écrivain Philippe Sollers, qui joue ici son propre rôle (plus quelques autres) retrouve au paradis Jean-Paul II, la vierge Marie, Lacan, Madame Mao, l'ange Gabriel, Roland Barthes, Sigmund Freud, Dun Scott, devant lesquels il prononce une conférence endiablée sur le sexe. L'apocalyse en direct avec un grand reporter. **♦Studio 43 133**

UN DIMANCHE A LA CAMPAGNE. 1983. 1h35. Comédie dramatique française en couleurs de Bertrand Tavernier avec Louis Ducreux, Sabine Azema, Michel Aumont, Geneviève Mnich, Monique Chaumette, Claude Winter.
D'après le roman de Pierre Bost : « M. Ladmiral va bientôt mourir ». Un vieux peintre reçoit sa famille à la campagne le temps d'un dimanche nostalgique. Un film impressionniste pour le metteur en scène de « Coup de torchon » qui nous livre aujourd'hui une nouvelle facette de son talent. Le film a obtenu le prix de la mise en scène au Festival de Cannes. **♦Gaumont Les Halles 4 ♦Imperial Pathe 13 ♦Hautefeuille Pathe 64 ♦La Pagode 82 ♦Gaumont Colisée 92 ♦Saint-Lazare-Pasquier 104 ♦Les 14-Juillet Bastille 160 ♦Athena 164 ♦Fauvette 174 ♦Gaumont-Sud 184 ♦Les Montparnos 188 ♦Les 7 Parnassiens 194 ♦Gaumont Convention 201 ♦14 Juillet Beaugrenelle 205 ♦Passy 210 ♦Pathe Clichy 236**

8 Les trains et les cars

1 L'agence de voyages

To go to Tours, you can take the TGV. (Train à Grande Vitesse) which travels at over 100 mph. Theoretically there is no extra charge for this fast new line but in practice you might have to pay extra – **un supplément**.

Jean-Robert: Bonjour, mademoiselle. J'aurais voulu aller à Tours si c'était possible.
L'employée: Tours. D'accord. Et vers quelle heure?
Jean-Robert: Le matin.
L'employée: 9h09. 10h58.
Jean-Robert: Je crois que c'est très bien. Je vais prendre ce train-là. C'est un train avec supplément?
L'employée: Non. C'est un train sans supplément.
Jean-Robert: Et il y a une voiture de restauration dans le train?
L'employée: Oui, une voiture-restauration. Oui.
Jean-Robert: C'est au départ de quelle gare, s'il vous plaît?
L'employée: Au départ de la gare d'Austerlitz.
Jean-Robert: Austerlitz. Je peux y aller en métro d'ici?
L'employée: Oui. C'est direct, hein.
Jean-Robert: C'est direct.
L'employée: C'est direct. Un quart d'heure.
Jean-Robert: Et vous ne savez pas évidemment de quel quai il part, non?
L'employée: Non. Vous vous renseignez auprès du contrôleur, hein, à la gare.
Jean-Robert: Est-ce que vous pensez qu'il faut faire une réservation puisque c'est le weekend de la Pentecôte?
L'employée: Oui. Je pense que c'est indispensable, hein, il y a beaucoup de monde.
Jean-Robert: Il y a beaucoup de monde.
L'employée: C'est indispensable.
Jean-Robert: Mais je ne peux pas faire la réservation ici?
L'employée: Si, bien sûr. Bien sûr. Vous pouvez prendre le billet et la réservation ici.
Jean-Robert: Bon. Ben. Je voudrais bien le faire, s'il vous plaît.
L'employée: D'accord. Donc Tours hein?
Jean-Robert: Tours, oui.
L'employée: Aller et retour?
Jean-Robert: Aller et retour, s'il vous plaît.
L'employée: Et en seconde classe.
Jean-Robert: En seconde classe, oui.
L'employée: En compartiment fumeur ou non-fumeur?
Jean-Robert: Fumeur.
L'employée: Fumeur. D'accord. Je peux avoir votre nom?
Jean-Robert: Oui, Gérard comme le prénom G-E-R-A-R-D, et prénom Jean-Robert.
L'employée: Ce n'est pas la peine. D'accord.

avec supplément extra charge
une voiture de restauration restaurant car
c'est au départ de . . .? it leaves from . . .?
un quai platform
se renseigner to find out/inform oneself
le contrôleur ticket collector
la Pentecôte Whitsun
indispensable essential
(non-)fumeur (non-)smoking

2 La gare routière

When in Tours, Jean-Robert decides to visit Amboise. He asks about times of buses at the bus-station.

Jean-Robert: Bonjour, madame.
L'employée: Bonjour, monsieur.
Jean-Robert: Je voudrais savoir quel est le prochain bus pour Amboise, s'il vous plaît.
L'employée: A 17h30, monsieur.
Jean-Robert: Et c'est un bus direct? Ou il faut changer?
L'employée: Non, non, il est direct.

Jean-Robert:	Combien de temps est-ce qu'il prend,* s'il vous plaît?
L'employée:	Ça fait 18h10.
Jean-Robert:	Donc une heure à peu près. Et quelle est la fréquence des bus? Il y en a un . . . tous les . . .?
L'employée:	Oh, le samedi. Il n'y en a que deux.
Jean-Robert:	Ah, deux seulement.
L'employée:	Oui, le samedi, oui.
Jean-Robert:	Et quel est le prix du trajet jusqu'à Amboise, s'il vous plaît? Grosso modo, hein?
L'employée:	17,50F l'aller.
Jean-Robert:	Très bien. Et . . . je pourrais laisser mon sac à dos à la consigne?
L'employée:	Oui, bien sûr, monsieur.
Jean-Robert:	C'est combien?
L'employée:	3,50F le coli à la journée.
Jean-Robert:	Parfait. Je vous remercie beaucoup, madame. Bon après-midi.

à peu près about
jusqu'à ce que as far as
grosso modo approximately
la consigne left-luggage office
3,50F le colis 3,50F per item

A Comprehension check

Listen carefully to Passage 1 on the tape and answer the questions:

1 Why does Jean-Robert go to the travel agent's?
2 When does he want to travel?
3 Is there a supplement for the 9.09?
4 Is there a restaurant car?
5 Which station does the train leave from?
6 If he goes by tube, will he have to change?
7 How long does the tube journey take?
8 How can he find out which platform the train goes from?
9 Why does he decide to book a seat?
10 Can he make the reservation at the travel agent's?
11 Does he buy a single or a return ticket?
12 What class is he travelling in?
13 Does he wish to be in a smoking or a non-smoking compartment?
14 Is Gérard his middle name or his surname?

*It is more normal to use **mettre**. **'Combien de temps met-il, s'il vous plaît?'**

B Equivalents

Now listen to Passage 2 and find the equivalents for the English phrases below:

1 Which is the next bus for Amboise, please?
2 Do I have to change?
3 How long does it take?
4 How often do the buses go?
5 How much is the journey as far as Amboise?
6 Could I leave my rucksack at the left-luggage office?

C Il y a une voiture de restauration?

Ask if these things are available at the station:

1 a left-luggage office
2 a waiting-room
3 a train timetable
4 a tube station
5 a snack bar
6 a luggage trolley

D Vous ne savez pas de quel quai il part?

Jean-Robert does not expect the travel agent to have the information. Listen carefully to his intonation on the tape and imitating it as closely as possible, use the same phrase to ask whether she knows:

1 what time it leaves.
2 if there is a restaurant car.
3 if you can go by tube from here.
4 if it's direct.

E Est-ce que vous pensez qu'il faut faire une réservation?

Ask if she thinks it is necessary to:

1 buy the ticket now.
2 go by tube.
3 get information at the station.

F Je ne peux pas faire la réservation ici? Si, bien sûr. Vous pouvez faire la réservation ici.

Jean-Robert does not expect to be able to reserve his seat at the travel agent's. But he's wrong! The travel agent uses **Si**! to contradict him and say yes, of course he can.

Listen carefully to his intonation and in the same way ask if you can do the things listed below. Your partner will reply that, contrary to expectation, yes you can!

1 buy the ticket here
2 go to the Gare d'Austerlitz by tube
3 get information from the ticket-collector

G Je veux faire une réservation, s'il vous plaît.

With your partner, act out the scene at the ticket office when you make a reservation for the journeys outlined below:

1	2
Nice	Chartres
le 7 juin	le 24 juin
aller simple	aller-retour
seconde classe	seconde classe
réduction-étudiant	plein tarif
non-fumeur	fumeur

H Je peux avoir votre nom?

Can you spell out your name?

Remember that **nom** means surname and **prénom** means Christian name. In France you usually give your surname first, then your Christian name. Practise spelling out both of those, using this guide on how to pronounce the French alphabet:

a	ah	**g**	jay	**m**	em	**s**	es	**x**	eex
b	bay	**h**	ash	**n**	en	**t**	tay	**y**	ee grek
c	say	**i**	ee	**o**	oh	**u**	oo	**z**	zed
d	day	**j**	jee	**p**	pay	**v**	vay		
e	eh	**k**	ka	**q**	koo	**w**	doobler		
f	eff	**l**	el	**r**	err		vay		

Useful Expressions

Quand part le prochain train pour . . .?
When does the next train for . . . leave?

De quel quai part-il?
What platform does it go from?

A quelle heure le train arrive-t-il à . . .?
What time does the train arrive at . . .?

C'est un train direct? Faut-il changer?
Is it a direct train? Do I have to change?

Il y a une voiture-lit?
Is there a sleeping-car?

Je voudrais réserver une place.
I'd like to book a seat.

un aller simple single
un aller-retour return
en seconde second class
l'horaire/l'indicateur timetable
le quai platform
la voie track
la salle d'attente waiting-room
le guichet ticket office
la consigne left-luggage office
le contrôleur ticket collector
le chef de gare station master
la correspondance connection

un compartiment non-fumeur
non-smoking compartment

composter un billet
to have your ticket date-stamped

enregistrer les bagages
to check in the luggage

un chariot à bagages a luggage trolley

Où puis-je prendre le bus pour . . .?
Where can I get on a bus for . . .?

Quelle est la fréquence des bus?
Il y a un bus tous les combien?
How frequent are the buses?

Combien de temps met-il?
How long does it take?

Quel est le prix du trajet jusqu'à . . .?
How much does the journey cost as far as . . .?

Y a-t-il une excursion pour Chenonceau demain?
Is there an excursion to Chenonceau tomorrow?

Le car part à quelle heure?
What time does the coach leave?

Le car part d'où?
Where does the coach leave from?

le receveur conductor
le conducteur driver

Role-play

1 A la gare

You are staying with your pen-friend in Quimper in Brittany and decide to go to Rennes for the day. Act out this situation at the guichet at Quimper station with your partner.

Vous: (Ask for a return ticket to Rennes, please – second class.)
L'employé: Voilà, monsieur/mademoiselle.
Vous: (Ask what time the next train leaves.)
L'employé: 11h04.
Vous: (Thank him and ask what platform it goes from.)
L'employé: Voie 2, quai 1.
Vous: (Say you also want to know if you have to change.)
L'employé: Non, non, c'est un train direct.
Vous: (Good. Ask if there is a restaurant car.)
L'employé: Il y a un bar, monsieur/mademoiselle.
Vous: (Say thanks and ask where the waiting-room is.)
L'employé: Par là, monsieur/mademoiselle.
Vous: (Say oh yes, thank him, and take your leave.)

2 A la gare routière

You want to visit a friend of yours in Blois near Tours . . . you go to the bus station. Act out the conversation with your partner.

Vous: (Greet the woman behind the desk and ask how often buses run to Blois.)
L'employée: Il y en a trois par jour, monsieur/mademoiselle, 9h10, 13h30 et 18h20.
Vous: (Ask how long it takes.)
L'employée: Une heure à peu près.
Vous: (Ask if there are excursions to Chenonceau.)
L'employée: Oui, nous organisons des excursions.
Vous: (Ask where the coach goes from.)
L'employée: D'ici même, juste devant le Syndicat d'Initiative.
Vous: (Ask what time the coach leaves.)
L'employée: A neuf heures moins le quart.
Vous: (Ask if you could leave your suitcase at the left-luggage office.)
L'employée: Bien sûr. C'est 3,50F, monsieur/mademoiselle.
Vous: (Thank her and say good-bye.)

3 Look back to the first conversation on tape in this unit where Jean-Robert is booking a seat to Tours.

Act out the situation in which you are booking a second-class ticket to London. Ask what time the train leaves and arrives, what station it goes from, and remember you will have to spell out your name! Say you want to go in a non-smoking compartment and ask if there is a restaurant car.

Here is the information your partner will need to answer your questions:

Paris-Nord	D	08.10
Calais-Maritime	A	11.10
	D	11.50
Folkestone-Harbour	A	12.50
Folkestone-Harbour	D	13.20
Londres-Victoria	A	14.48

A Arrivée — Bar
D Départ — Vente ambulante

4 Be prepared!

You had such a good leaving party that you missed the train that you booked in Exercise 3! You decide to phone the Gare du Nord to get details of the next train. Make this easier for yourself by jotting down the questions you will need to ask. You will want to know:

a when the next train leaves for London.
b what platform it goes from.
c what time the train gets to Calais.
d whether there is a restaurant car on the train.
e whether (s)he thinks it is necessary to make a reservation.
f what time the train arrives in London.

NB Make sure you can spell out your name!

9 La station-service

Faites le plein!

Jean-Robert takes his car for a routine check at the petrol station.

Jean-Robert: Bonjour, monsieur.
Le pompiste: Bonjour, monsieur.
Jean-Robert: J'aurais voulu le plein de normale, s'il vous plaît.
L'employé: Oui, bien entendu. Euh. Attendez. Vous pourriez reculer un tout petit peu?
Jean-Robert: Oui. D'accord. C'est combien un litre de normale maintenant?
L'employé: Alors, il est à 4,80F.
Jean-Robert: 4,80F. Bon. D'accord. Vous mettez 20 litres. Ça doit faire le plein à peu près?
L'employé: Oui, entendu.
Jean-Robert: Bon. Et puis alors je voudrais que vous contrôliez aussi le niveau d'huile, s'il vous plaît.
L'employé: Bien entendu.
Jean-Robert: Il faudra peut-être en remettre un peu.
L'employé: Oui, il y a longtemps que vous l'ayez fait?
Jean-Robert: Six mois.
L'employé: Vous roulez beaucoup?
Jean-Robert: Oui, puis alors elle est assez vieille alors il faut . . .
L'employé: Ben, alors elle doit en avoir besoin . . .
Jean-Robert: Bon. Vous mettez de la . . . de l'huile 'Mobil' enfin.
L'employé: Oui, ben, c'est ce que vous mettez d'habitude?
Jean-Robert: Oui.
L'employé: D'accord. D'accord.
Jean-Robert: Puis alors pour vérifier la pression des pneus je le fais moi-même ou vous pouvez le faire?
L'employé: Bien je peux vous le faire là, hein.
Jean-Robert: D'accord. Je crois que . . . il faut 1,4k pour l'avant et 1,8 pour l'arrière, c'est ça?
L'employé: Oui. Si vous faites de l'autoroute, il faut gonfler davantage – un petit peu plus – jusqu'à deux kilos à l'avant si vous faites de l'autoroute. Sinon effectivement c'est les pressions normales.
Jean-Robert: Bon. Parce que la voiture n'est pas trop chargée mais enfin . . .
L'employé: Non, non.
Jean-Robert: Et vous pourriez me donner une lavette là pour nettoyer le pare-brise?
L'employé: Oh, je vais vous le faire, ça. Le garçon va le faire. Le garçon va le faire.
Jean-Robert: Vous auriez une carte routière de la région?
L'employé: Ah non, on ne fait plus les cartes routières. On n'a pas de place là. On n'a plus de place alors on ne peut plus les faire.
Jean-Robert: Il faut que j'aille dans une papeterie?
L'employé: Ben, écoutez, vous avez là une petite librairie, la deuxième à gauche là, librairie-papeterie. Ils vous font ça, il y a tout ce qu'il faut.
Jean-Robert: D'accord. Merci, monsieur. Ben je vous dois combien là?
L'employé: Alors ça fait 95,20F.
Jean-Robert: Bon et puis un petit pourboire quand même hein?
L'employé: Merci bien. Au revoir, monsieur. Bonne route.
Jean-Robert: Merci. Bon après-midi.

le plein de normale a tankful of three-star petrol
reculer to reverse
contrôler le niveau d'huile to check the oil level
d'habitude usually
vérifier la pression des pneus to check the tyre pressures
l'avant, l'arrière front, rear
gonfler to inflate, pump up

davantage more
chargé loaded up
une lavette cloth
le pare-brise wind-screen
une carte routière a road map
la librairie book-shop
un pourboire tip

A Comprehension check

Listen to the passage carefully *once* then answer these questions:

1 To fill up the tank, Jean-Robert will need
a 10 litres of petrol.
b 20 litres of petrol.

2 His car probably
a needs some oil.
b does not need any oil.

3 The tyres are checked by
a Jean-Robert.
b the petrol-pump attendant.

4 If he is doing motorway driving the tyres should be pumped up
a more.
b less.

5 The petrol-pump attendant
a fetches Jean-Robert a cloth to wipe the windscreen.
b gets the boy to wipe the windscreen.

6 Jean-Robert can get a road-map
a at the petrol station.
b at a bookshop.

7 Jean-Robert spends
a 95,20F.
b a little more than 95,20F.

Now listen carefully once again and answer these more detailed questions:

8 Why will Jean-Robert need more oil?
9 Why do they use the word **elle** to talk about the car?
10 Why does Jean-Robert ask for Mobil oil?
11 Why do you think Jean-Robert remarks that the car is not particularly loaded up?
12 Why does the garage not stock maps any more?
13 Where is the bookshop?
14 Judging from Jean-Robert's actions, what is it customary to do when paying at a French garage?
15 What expression does the petrol-pump attendant use to wish Jean-Robert a happy journey?

B Je voudrais que vous contrôliez le niveau d'huile.

To say you would like someone to do something, you have to use a subordinate clause with the subjunctive. Don't be alarmed – this is not as difficult as it sounds! As you can see, the subjunctive in this case looks just like the imperfect tense: **vous contrôliez**.

How would you say you would like the man to . . .

1 put in some Mobil oil?
2 check the tyre pressures?
3 add some distilled water?
4 give you a cloth?

C Elle doit en avoir besoin. (It must need some.)

To make deductions you should use **devoir** with the infinitive. If your friends have just got back from a three-week hitch-hiking holiday, how would you comment to them that they must:

1 be tired?
2 be thirsty?
3 be hungry?
4 need a bath?
5 want to telephone their parents?

D Vous auriez une carte routière?

When asking whether a shop or garage has got something, a more polite way than the simple **Vous avez . . .?** is to use **Vous auriez . . .?** It's rather like the English 'Would you have a . . . (by any chance)?

Ask whether the **pompiste** might have these things:

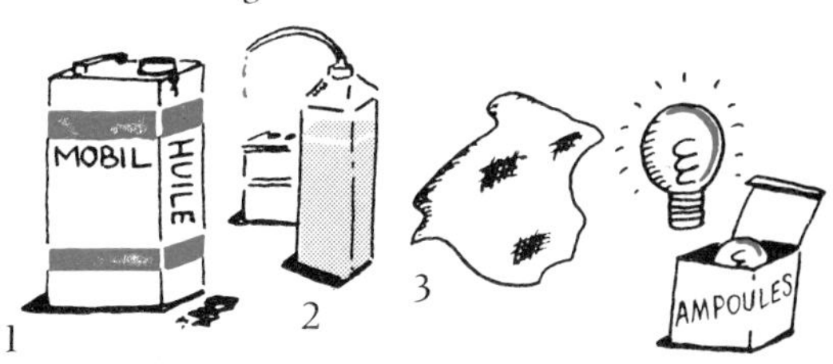

E **Vous pourriez reculer un peu?**
Vous pourriez me donner une lavette?
To ask if someone could do something for you, you would probably say **Vous pouvez** . . .**?** But an even more polite way of phrasing it is to use **Vous pourriez** . . .**?**
Ask if the **pompiste** could:

1 check the tyre pressures.
2 check the oil.
3 give you a road map.
4 tell you where the nearest bookshop is.

Remember to make your voice rise at the end of the sentence as Jean-Robert's does on the tape or – if you find that too difficult! – invert the phrase and say **Pourriez-vous** . . .**?**

Useful Expressions

Le plein de normale/super, s'il vous plaît.
Fill her up with 3/4 star, please.

Je voudrais de l'essence/de l'huile/de l'eau/20 litres d'essence.
I'd like some petrol/oil/water/20 litres of petrol.

Donnez-moi pour 25 francs de . . .
Could I have 25 francs worth of . . .

Pouvez-vous . . .**? Pourriez-vous** . . .**?**
Could you . . .?

contrôler le niveau d'huile? check the oil?

vérifier la pression des pneus? 1,6 pour l'avant, 1,8 pour l'arrière
check the tyre-pressures? 23 for the front, 26 for the back

vérifier aussi la roue de secours?
also check the spare wheel?

mettre de l'huile 'Mobil'?
put in 'Mobil' oil?

remplir la batterie avec de l'eau distillée?
fill the battery with distilled water?

nettoyer le pare-brise?
clean the windscreen?

me donner une lavette? give me a cloth?

Je suis en panne – pouvez-vous envoyer un mécanicien/le camion de dépannage?
I have broken down. Could you send a mechanic/the breakdown lorry?

Je suis sur la Route Nationale 152 près de Blois.
I am on Route Nationale 152 near Blois.

C'est une Datsun bleue. Immatriculée . . .
It's a blue Datsun. Registration is . . .

Avez-vous des pièces de rechange pour une Mini?
Have you got spare parts for a Mini?

Je suis en panne sèche. Pouvez-vous me conduire à un garage?
I've run out of petrol. Could you give me a lift to a garage?

J'ai un pneu crevé. J'ai changé la roue; pouvez-vous réparer le pneu?
I've got a flat tyre. I've changed the wheel; could you repair the tyre?

Auriez-vous une carte routière de la région/le guide vert pour la région?
Would you have a road map of the region/the tourist guide for the region?

Voici un petit pourboire.
Here's a small tip.

Bonne route! Have a good trip!

Conversion Tables

Petrol									
Litres	5	10	15	20	25	30	40		
Gallons	1.1	2.2	3.3	4.4	5.5	6.6	8.8		
Tyres									
Kg/cm^2	1.4	1.5	1.6	1.7	1.8	1.9	2.0		
Lbs/sq in	20	21	23	24	26	27	28		
Mileage									
Kms	1.6	8	20	30	40	50	60	70	80
Miles	1	5	12	19	25	31	37	44	50

Role-play

Act out these situations with your partner.

1 A la station-service

Vous: (Greet the petrol-pump attendant and ask him to fill her up, please.)
Le pompiste: De l'ordinaire, du super?
Vous: (4 star, please. And ask him if he could check the oil.)
Le pompiste: Bien sûr.
Vous: (Say you would like him to put in some Mobil oil, please.)
Le pompiste: D'accord.
Vous: (Ask if he has a cloth to clean the windscreen.)
Le pompiste: Oh, je vais vous le faire. Voilà.
Vous: (Ask how much you owe him.)
Le pompiste: 110 francs, monsieur/mademoiselle.
Vous: (Say here you are and here is a small tip.)
Le pompiste: Merci beaucoup, monsieur/mademoiselle. Bonne route.

2 Au garage

Vous: (Say you've broken down and ask if he could send a mechanic.)
Le mécanicien: Bien sûr. C'est pour une voiture de quelle marque?
Vous: (Say it is an English Austin and ask if they have spare parts for a Mini.)
Le mécanicien: Oui, oui, monsieur/mademoiselle. Où êtes-vous?
Vous: (Say you are on the Autoroute 10 just south of Beaugency.)
Le mécanicien: Et qu'est-ce qu'il y a?
Vous: (Say it needs a new windscreen.)
Le mécanicien: D'accord. J'y vais tout de suite.
Vous: (Thank him and say see you shortly.)

3 You're preparing for a long journey. Act out the situation at the petrol-station where you are filling up with petrol and checking the tyres, oil, and battery. And don't forget to wash the windscreen.

4 You have broken down in the family car (– invent one of your choice if you prefer or if your family has not got one!) just outside Calais on the Route Nationale 43. Act out the conversation on the phone with the garage asking if they can send a mechanic and saying you have got *two* flat tyres!

Word-square

How many motoring words can you find hidden in this word-square?

P	A	R	E	B	R	I	S	E
O	R	O	L	A	A	F	P	S
M	R	U	I	T	V	S	A	S
P	I	T	U	T	A	U	N	E
I	E	E	H	E	N	P	N	N
S	R	C	A	R	T	E	E	C
T	E	S	B	I	D	R	P	E
E	E	P	N	E	U	E	A	U

10 Le Syndicat d'Initiative

Tours

Jean-Robert goes into the tourist office in Tours to get some information . . .

Jean-Robert: Bonjour, mademoiselle.
L'employée: Bonjour, monsieur.
Jean-Robert: Je voudrais faire un circuit des châteaux de la Loire – est-ce que vous avez des excursions avec visite commentée?
L'employée: Oui, nous faisons des excursions. Elles sont en anglais et en français.
Jean-Robert: Oui.
L'employée: Et elles . . . bon, ça dépend des jours . . . tantôt vous faites . . . vous visitez Loches, Chenonceau, Amboise ou un autre jour vous visitez deux ou trois autres châteaux.
Jean-Robert: Et c'est donc des excursions d'un jour seulement?
L'employée: Oui, vous en avez d'un jour ou bien d'une demi-journée.
Jean-Robert: Et c'est au départ de Tours?
L'employée: Oui, juste devant le bâtiment, là à 8h45.
Jean-Robert: Est-ce que vous pourriez me dire combien . . . quel est le prix de l'excursion, disons de la demi-journée?
L'employée: Oui, je vous donne ça tout de suite. Alors un exemple d'une journée. Bon. Vous payez 83 francs pour le car et 23 francs pour l'entrée des châteaux ou bien une demi-journée, vous payez pour le car 58 et les droits d'entrée du château 26 francs.
Jean-Robert: Et est-ce que cela comprend un déjeuner?
L'employée: Non. Le déjeuner est libre toujours.
Jean-Robert: Très bien. Et est-ce que cela comprend aussi la visite d'une cave parce que j'aimerais bien déguster des vins de la région.
L'employée: Oui, à Vouvray. Le numéro 14 par exemple vous visitez . . . d'une demi-journée . . . vous visitez une cave et vous dégustez le vin.
Jean-Robert: Ah, très bien. Et qu'est-ce qu'il y a pour les jeunes à Tours? Est-ce qu'il y a une maison des jeunes?
L'employée: Euh . . . comme activités, qu'est-ce que vous pourriez avoir . . . Bon, il y a tous les clubs sportifs, il y a pratiquement tous les sports, mais il n'y a pas de maison de jeunes en particulier. Il y a des clubs différents mais il n'y a pas une maison qui regroupe tous les . . . tout.
Jean-Robert: Oui. Il y a donc une piscine?
L'employée: Oui, il y en a plusieurs. Vous avez une piscine découverte. Comme il fait beau en ce moment elle est découverte. Elle se trouve un petit peu en dehors de Tours. Il y a plusieurs bassins avec des plongeons aussi. Sinon, vous avez le palais des sports – il y a plusieurs salles de . . . Bon, il y a une piscine, avec grand bain, petit bain, les salles de basket, de ping-pong, d'escrime, enfin tout ce qu'on veut.
Jean-Robert: Tous les sports, oui. Et on peut même louer des bateaux . . . Je veux dire pour aller sur la Loire, ou c'est trop dangereux?
L'employée: Non, il y a des circuits organisés sur la Loire et le Cher, je crois.
Jean-Robert: Alors, je vous remercie pour tous ces renseignements, mademoiselle.
L'employée: De rien.
Jean-Robert: Bon après-midi.
L'employée: Merci.

faire un circuit to make a round trip
visite commentée guided tour
la demi-journée half-day
disons let's say
le car coach
les droits d'entrée entrance fees
comprendre to include
la cave wine-cellar
déguster to taste, sample
une piscine découverte open-air swimming-pool
un bassin pool
un plongeon diving-board
l'escrime fencing
louer to hire
les renseignements information

A Comprehension check
Listen carefully to the conversation in the **bureau d'accueil** and answer the questions:

1 Give as many details as you can of the different excursions to the châteaux of the Loire.
2 What sorts of activities are there for young people in Tours?

B Est-ce que vous pourriez me dire . . .
A good way to fill in a pause while you think what question you want to ask! Practise using it before asking:

1 where the tourist office is.
2 how much the excursions are.
3 if it includes a visit to a wine-cellar.
4 if there is a swimming-pool in Tours.
5 where one can hire a bicycle.

C J'aimerais bien déguster les vins de la région.
Say you would very much like to:

1 go on a tour of the Loire châteaux.
2 visit Loches.
3 go swimming.
4 play table-tennis.
5 go boating on the Loire.
6 hire a bike.

D Qu'est-ce qu'il y a pour les jeunes à Tours?
You are on a coach-tour of the Loire valley organised by your local town. You have been sent in to the **Syndicat d'Initiative** to find out if there are special facilities for all the different groups on the trip. Ask your partner what there is for:

1 old people.
2 sports fanatics.
3 historians.
4 wine buffs.

Remember: someone who likes doing something is **un amateur**.

E Est-ce qu'il y a une maison des jeunes?
Ask if there is:

1 a youth hostel.
2 a bus station.
3 a guided tour.
4 a sports stadium.
5 a half-day excursion.

F On peut même louer des bateaux?
Practise asking if you can do even these things:

1 hire a bike.
2 play basketball.
3 taste wines.
4 go riding.
5 go canoeing.

Useful Expressions

If you are ever at a loss for something to do in France, it is definitely worth visiting the **Syndicat d'Initiative** or **Office du Tourisme**. These are mines of information where you can not only pick up maps and brochures about the region, but also buy theatre or concert tickets, or simply ask the way or the time of the next bus . . .

Avez-vous un plan de la ville/une carte de la région/un horaire des autobus/une liste des excursions?
Have you got a town plan/a map of the area/a bus timetable/a list of excursions?

Qu'est-ce qu'il-y-a à Tours pour les jeunes/d'intéressant pour le touriste?
What is there in Tours for young people/of interest for the tourist?

Qu'est-ce qu'il y a à voir dans la ville/à visiter dans la région?
What is there to see in the town/to visit in the region?

Est-ce qu'il y a une auberge de jeunesse/ un musée/une boîte/une piscine?
Is there a youth hostel/museum/night-club/ swimming-pool?

(Où) est-ce qu'on peut faire du sport/ louer un vélo/monter à cheval?
(Where) can one play sport/hire a bike/go horse-riding?

Où est-ce qu'il faut aller pour se renseigner sur les bus/prendre un billet pour la disco?
Where do you have to go to get information about buses/to get a ticket for the disco?

Le car,/le bus, est-il au départ d'ici/de la gare routière?
Does the coach/the bus leave from here/from the bus station?

Je voudrais faire un circuit des châteaux de la Loire. /J'aimerais bien déguster les vins de la région.
I would like to go on a tour of the Loire châteaux/sample the local wines.

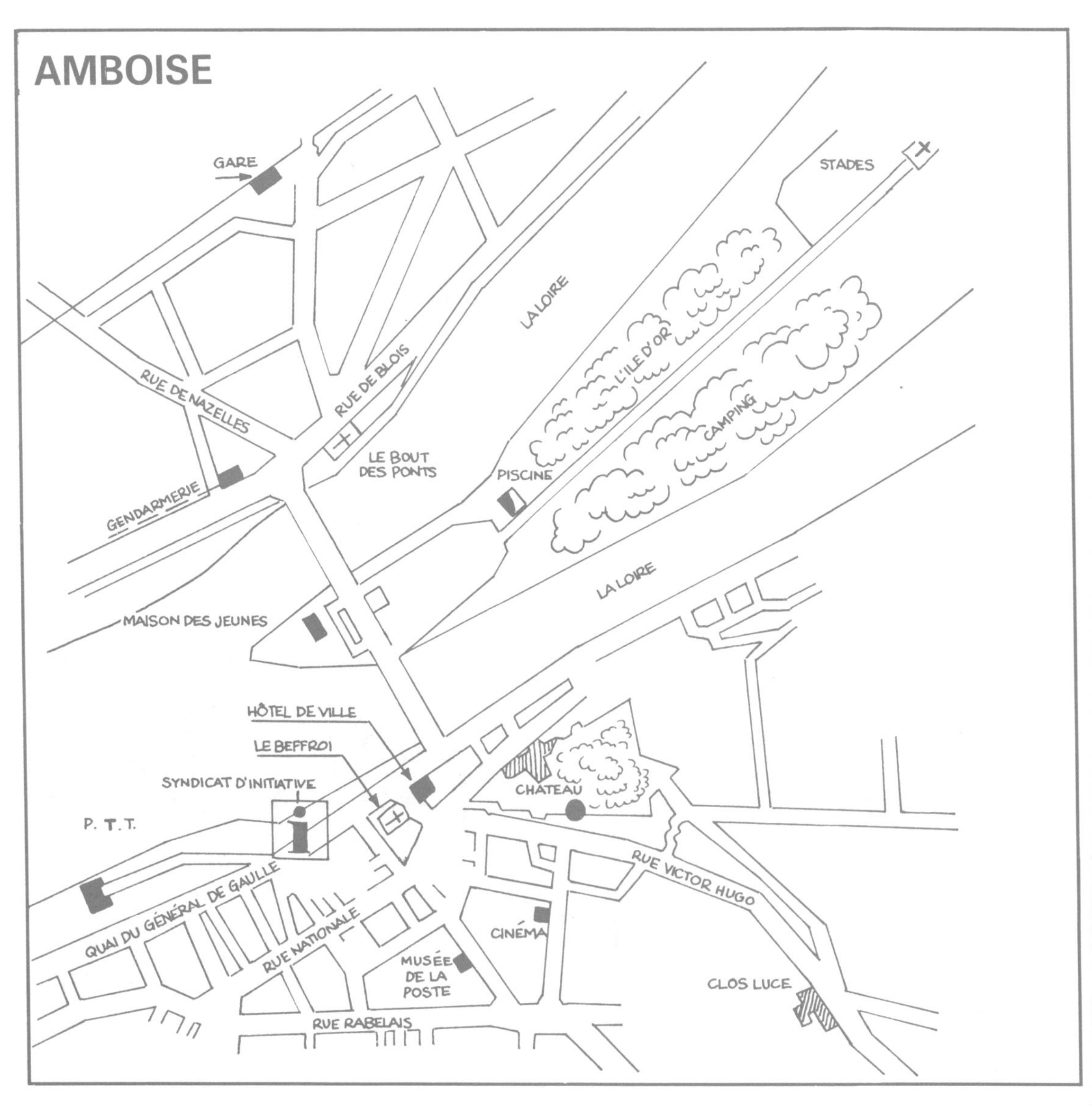

Role-play

Act out these conversations with the **hôtesse d'accueil.**

1 Au Syndicat d'Initiative à Quimper en Bretagne

Vous: (Greet her and say you do not know the region very well. Ask what there is of interest.)
L'hôtesse d'accueil: Il y a la cathédrale, la visite de la vieille ville . . .
Vous: (Ask if there is a museum.)
L'hôtesse d'accueil: Oui, il y a le musée d'art traditionnel de Bretagne.
Vous: (Ask where you can play a sport.)
L'hôtesse d'accueil: Au palais des sports. Je vais vous montrer sur le plan, là.
Vous: (Thank her. And ask if there are any discothèques.)
L'hôtesse d'accueil: Oui, il y en a une sur la place Voltaire.
Vous: (Ask where you have to go to get a ticket.)
L'hôtesse d'accueil: Oh, il n'y a pas de réservation, monsieur/mademoiselle. Les billets se vendent à l'entrée.
Vous: (Say OK and thank her very much.)

2 A l'Office de Tourisme à Orléans.

Vous: (Say hello and say you would like to go on a tour of the Loire châteaux.)
L'hôtesse d'accueil: Oui, il y a des excursions d'un jour ou d'une demi-journée.
Vous: (Say you would very much like to visit Chenonceau.)
L'hôtesse d'accueil: Il y a une excursion d'une demi-journée qui comprend Chenonceau, Amboise et Loches.
Vous: (Ask if the coach leaves from here.)
L'hôtesse d'accueil: Oui, juste devant l'Office de Tourisme.
Vous: (Ask what time it leaves.)
L'hôtesse d'accueil: A 9h05.
Vous: (Ask, too, if one can sample the local wines.)
L'hôtesse d'accueil: Oui, il faut aller à Vouvray. Là on peut déguster les meilleurs vins de la région.
Vous: (Thank her very much.)

3 With your partner, act out the conversation you might have on arrival at the Syndicat d'Initiative in Amboise. The person acting as **hôtesse d'accueil** can use the map provided on page 46 to give the information you need. Ask what there is of interest for the tourist, whether there is a campsite, what sporting facilities are available, and what is provided for young people.

4 You have been offered a lift to Arles in the south of France. You have no idea what it is like and want to find out more before you commit yourself. Write a letter to the **Syndicat d'Initiative** there, inquiring about the things you would be interested in doing on holiday (e.g. hotels, campsites, youth hostels, interesting sights, sports facilities, excursions, guided tours, etc.).

11 Le camping

St. Fargeau

I went to book in at the campsite in St. Fargeau in Burgundy.

K.B.: Bonjour, monsieur. Vous avez une place libre?

Le gardien: Bonjour, madame. Oui, bien sûr, oui, vous avez quoi une tente, une caravane?

K.B.: Oui, une tente et une voiture.

Le gardien: Une tente et une voiture. Oui. Pour combien de nuits?

K.B.: C'est pour trois nuits.

Le gardien: Trois nuits. D'accord. Je vais vous faire votre enregistrement.

K.B.: Merci.

Le gardien: Avez-vous un passeport?

K.B.: Oui, voilà.

Le gardien: Merci. Vous êtes combien de personnes?

K.B.: Trois personnes.

Le gardien: Trois personnes, oui. Une voiture. Une tente. Pour trois nuits, d'accord.

K.B.: C'est ça.

Le gardien: Voilà. Je vais vous montrer votre place.

K.B.: Y a-t-il un magasin sur place?

Le gardien: Non. Il n'y a pas de magasin sur place. Il faut impérativement retourner au village qui est à 6 kilomètres pour faire les courses, pour le ravitaillement, voilà.

K.B.: Ah merci. Et y a-t-il des douches ou . . .?

Le gardien: Oui, il y a des douches chaudes et aussi des douches froides. Les douches chaudes sont dans le bâtiment sanitaire et il y a . . . elles sont . . . le prix de ces douches est inclus dans le prix du camping.

K.B.: Très bien. Et quel est le tarif par jour?

Le gardien: Alors, 5,25F par personne, 2,10F pour le véhicule et 2F pour la tente.

K.B.: Très bien. Peut-on nager dans le lac là?

Le gardien: Ah oui, bien sûr, oui, oui. La baignade est autorisée mais aux risques et périls des usagers, c'est-à-dire qu'il n'y a pas de surveillance de plage, il n'y a pas de maître-nageur sauveteur en permanence sur le bord du lac.

K.B.: Et est-ce qu'on peut louer des planches?

Le gardien: On peut louer des planches à voile. Oui, bien sûr, oui, sans aucun problème. Juste à côté du camping, c'est une personne du village qui vient et qui fait de la location de planches à voile et de canoës.

K.B.: Très bien. Et est-ce qu'on peut allumer un feu?

Le gardien: Alors les feux de bois, à même le sol, sont interdits mais vous avez la possibilité auprès de votre installation – en prenant toutes les précautions bien sûr – vous avez la possibilité d'utiliser un barbecue et ce barbecue est autorisé sans aucun problème.

K.B.: Et où est le bloc sanitaire?

Le gardien: Alors, les blocs sanitaires sont repartis sur les six hectares du camping, c'est-à-dire qu'il y a trois blocs sanitaires, deux équipés avec les douches chaudes et tous possèdent toilettes, douches, lavabos, bacs à vaisselle, bacs à linge.

K.B.: Très bien. Et pour les poubelles . . . Où sont les poubelles?

Le gardien: Alors, les supports-poubelle sont installés sur toute la superficie du camping et vous possédez, je pense, à votre disposition cinquante-quatre ou cinquante-cinq supports-poubelle. Voilà.

K.B.: Merci beaucoup, monsieur.

Le gardien: De rien. C'est moi qui vous remercie.

enregistrement booking
sur place on the site
le ravitaillement provisions
la baignade bathing
surveillance supervision
maître nageur-sauveteur life-guard
en permanence on duty
la planche (à voile) windsurf board
allumer un feu light a fire
l'installation camping pitch
le bloc sanitaire washing area
le bac à vaisselle sink for washing up
le bac à linge sink for washing clothes
la poubelle dustbin
un support-poubelle bin-bag holder
sur toute la superficie all over

A Comprehension check

Listen to the first part of the passage up to where the **gardien** says how much it costs to camp at St. Fargeau. Then fill in the information on the bill below. Fill in how many nights we stayed, how many people there were, how many cars, tents, and caravans! Then work out how much it would come to. (NB We had no electrical gadgets with us!)

Camping Municipal 'La Calanque'

ST. FARGEAU

Nom: M. . . . .

Du ...15... au ...juillet...

. . . . . . nuits

Sommes perçues
- personnes . . . . . . F . . . .
- véhicules . . . . . .
- caravane . . . . . .
- tente . . . . . .
- branchement . . . . . .

Total F . . . .

Now listen to the whole passage again and answer these questions:

1 What means of identification do I have to give to the **gardien**?
2 Where is the nearest place to buy food?
3 Are hot showers included in the price?
4 Is it safe to swim in the lake?
5 What can one hire there?
6 Is it permissible to light a fire in the campsite?
7 What facilities are provided in the washing areas?
8 Are dustbins provided?

B Find the equivalents

Find the equivalent French expression for the phrases below:

1 Have you got a space free?
2 How much is it per day?
3 Wood fires are prohibited.
4 You can use a barbecue.

C Y a-t-il un magasin sur place?

Practise asking if there are:

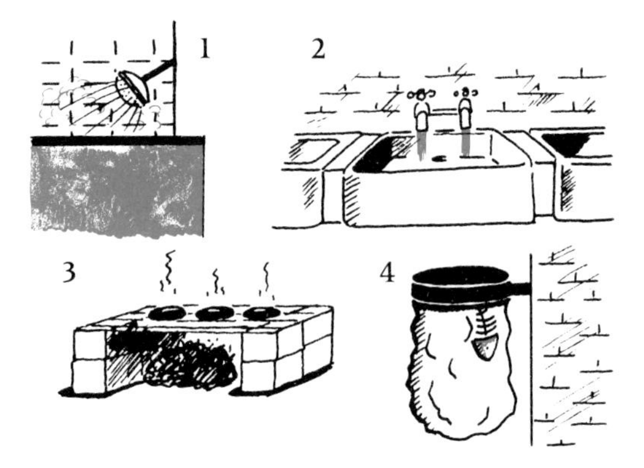

D Peut-on nager? Est-ce qu'on peut allumer un feu?

Ask if you can do these things:

E Où est le bloc sanitaire? Où sont les poubelles?

Practise asking where these things are:

1 the hot showers.
2 the sinks for washing clothes.
3 camping pitch six.
4 wash-basins.

F **Il est interdit de** . . .
Il est obligatoire de . . .
Look at the photos above and say what you must and must not do at the campsite and the Lac du Bourdon close by.

Useful Expressions

le tapis de sol ground-sheet
un piquet tent-peg
le marteau hammer
un raccordement electric extension lead
le réchaud cooker
une bombonne de gaz butane gas cylinder
l'ouvre-boîte tin-opener
les allumettes matches
le matelas pneumatique lilo
le sac de couchage sleeping bag
la corde à linge clothes-line
les pinces clothes pegs
le bureau de renseignements information office
le gardien warden
le bloc sanitaire washing area
les lavabos wash-basins
un robinet tap
les bacs sinks
les poubelles dustbins
un sac à dos rucksack
une musette small knapsack

Vous avez encore une place libre/un emplacement, monsieur? Pour une tente/une caravane.
Have you got a spare place/a site/pitch? For a tent/a caravan.

On est/Nous sommes trois.
There are three of us.

Quel est le tarif par nuit/personne/voiture/tente/caravane?
How much is it per day/person/tent/caravan?

Y a-t-il des bains/des douches/de l'eau potable/un magasin sur place?
Is/are there baths/showers/drinking water/a shop on the site?

Où	**est/sont** **se trouve(nt)**	**le bloc sanitaire?** **les toilettes?** **les poubelles?** **les bacs à laver la vaisselle?**

Where is/are the washing area/toilets/dustbins/sinks for washing-up?

Peut-on . . .? **Pouvons-nous** . . .?
Can we . . .?

. . . **camper ici/dans votre champ?**
. . . camp here/in your field?

. . . **allumer un feu?** light a fire?
. . . **louer des planches?** hire surfboards?

Role-play

1 Act out this conversation in which you are checking in at the campsite.

Vous: (Greet the woman and ask if she has a spare site.)
La gardienne: C'est pour une tente, une caravane?
Vous: (Say it is for a tent – there are two of you.)
La gardienne: Vous avez une voiture?
Vous: (Say no, you have bikes and ask how much it is per person per night.)
La gardienne: Alors, 5 francs par personne et 2 francs pour la tente.
Vous: (Good. Ask if there are hot showers.)
La gardienne: Oui, il y a des douches froides et chaudes.
Vous: (Ask if the price includes the hot showers.)
La gardienne: Non, vous me payez 2,50F et je vous donne la clé.
Vous: (Thank her very much and ask her where your pitch is.)
La gardienne: Vous pouvez dresser votre tente sous les arbres là-bas.
Vous: (Say right and wish her good-night.)

2 Now act out this conversation with a fellow camper in which you are finding your way about.

Vous: (Greet the girl and ask where the sinks for washing-up are.)
La demoiselle: Dans le bloc sanitaire là-bas près du bureau de renseignements.
Vous: (Say oh yes and ask how long she has been there.)
La demoiselle: Depuis deux nuits.
Vous: (Ask if she is thinking of staying long.)
La demoiselle: Encore quelques jours. C'est très agréable.
Vous: (Ask if it is possible to swim in the river.)
La demoiselle: Oui, oui, mais il faut faire attention, le courant est très fort.
Vous: (Ask if one can hire canoes around here.)
La demoiselle: Oui, il y a quelqu'un du village qui en loue.
Vous: (Ask if she would like to accompany you tomorrow.)
La demoiselle: Pour faire du canoë? Oui, j'aimerais bien. Si on se voyait au bord du fleuve. Disons à dix heures?
Vous: (Say agreed! See you tomorrow.)

3 With your partner act out the conversation in which you ask for details about the campsite at Candé-sur-Beuvron. Ask whether there is a swimming-pool nearby, where you can play tennis or go riding, sailing, or water-skiing (depending on your own interests), and ask how far it is to the nearest village so that you can go shopping. The person acting as **gardien/gardienne** will find the necessary information in the table below.

4 Chaumont-sur-Loire
You want to be sure of having a place at this campsite in August, a very busy month. Write to the **gardienne**, booking up for your family, or for yourself and a group of friends for a week. Ask how much it will cost and for any other details you are interested in. For example, do they have hot showers? Do they provide extension leads? You might want to listen to your cassette player. (Not too loudly, and in the privacy of your own tent, of course!)

	km	km	km	km	km	km	km	km	Volts		
CANDÉ-SUR-BEUVRON D. 751 - D. 173 900 h. ô ** ⊠ 41120 Les Montils Aire naturelle de camping des Deux Rivières, rue du Château. Tél. → (54) 44-03-31	C 18	14	0,4	7	15	15	0,5	0,5	220	12	2
CHAUMONT-SUR-LOIRE N. 751 - N. 152 800 h. ô $ + *** ⊠ 41150 Onzain Camping S.I. « Grosse Grève », N. 152 Tél. (54) 46-93-95			1,5				0,3		220	●	

12 Problèmes

1 A la banque

Jean-Robert: Bonjour, mademoiselle. C'est ici, la banque?
L'employée: Bonjour. Oui.
Jean-Robert: Alors, je voudrais changer un travellers-chèque. Vous acceptez...?
L'employée: Bien sûr. Vous pouvez me le faire voir?
Jean-Robert: Voilà. C'est National Westminster.
L'employée: Très bien. Bien. C'est votre signature ici?
Jean-Robert: Oui.
L'employée: Bien. Alors, je vais vous demander de contresigner en haut.
Jean-Robert: En haut, bien. Vous avez le cours de la livre aujourd'hui, s'il vous plaît?
L'employée: Hmm. Mmm. Donc, c'est 11,95 F.
Jean-Robert: 11,95F. Et combien prenez-vous de commission sur les travellers-chèques?
L'employée: C'est inclus dans le cours.
Jean-Robert: Vous avez besoin du passeport?
L'employée: Bien sûr. J'allais vous le demander.
Jean-Robert: Voilà mon passeport.
L'employée: Merci bien.
Jean-Robert: Un petit renseignement. Si je perds mes travellers-chèques, où dois-je m'adresser?
L'employée: Lors de la délivrance on a dû vous donner une petite notice avec les éléments de – une adresse, un numéro de téléphone où vous pouvez contacter immédiatement les personnes pour mettre opposition sur ces travellers avec les numéros. Parce que vous ne devez pas garder les travellers avec cette notice où sont repris les numéros.
Jean-Robert: Oui, très bien. Bon. Donc, je passe à la caisse maintenant?
L'employée: Bien sûr. Je vous donne un petit ticket, un petit numéro pour passer à la caisse. Voilà.
Jean-Robert: Merci.
L'employée: Au revoir, monsieur. Bonne journée.

contresigner to countersign
en haut at the top
le cours the exchange rate
la livre pound
lors de la délivrance when you were issued them
on a dû vous donner you must have been given
la notice note, list
mettre opposition sur to stop (a cheque)
la caisse cash desk

2 La gendarmerie

If you have lost your passport in a country district, you should go straight to the **gendarmerie**. In Paris, however, it is the **commissariat de police** which deals with these matters, as Jean-Robert found out at the **gendarmerie** in Bois-Colombes, a suburb of Paris.

Jean-Robert: Bonjour, monsieur l'agent. J'ai perdu mon passeport là au camping. Qu'est-ce que je dois faire?
L'agent: Bonjour, monsieur. Voilà. Alors, vous devez vous adresser au commissariat de police de la commune et puis faire une déclaration de perte. On vous établira un récépissé qui vous servira de carte d'identité ensuite pour le restant de votre séjour.
Jean-Robert: Et pour rentrer en Angleterre, je pourrai l'utiliser?
L'agent: Aucun problème.
Jean-Robert: D'accord. Et si j'ai aussi perdu mon appareil de photo à la gare euh ... qu'est-ce que ...?

L'agent: Même processus. Vous devez déclarer au commissariat de police.

Jean-Robert: Et il faut faire la description de l'appareil?

L'agent: Autant que possible. La marque. Le numéro de série. Le type. Enfin tout, tout ce qui peut servir à la recherche par la suite.

Jean-Robert: Bon. D'accord. Merci beaucoup, monsieur l'agent.

L'agent: Je vous en prie. A votre service.

une déclaration de perte statement concerning lost property
établir to write out
un récépissé receipt
servir de to serve as
le restant rest
le séjour stay
utiliser to use
l'appareil de photo camera
le processus process
autant que possible as far as possible
la marque make
le numéro de série serial number
servir à la recherche help to find it
par la suite afterwards

A Comprehension check

Listen to Passage 1 and say whether the statements below are true or false:

1. The bank accepts National Westminster traveller's cheques.
2. Jean-Robert must sign the cheque again.
3. The bank takes 11,95F commission.
4. The bank-clerk does not need a passport for traveller's cheques.
5. If you lose your traveller's cheques you cannot claim back the money.
6. When your traveller's cheques are issued you are given a list of the numbers and a telephone number to phone if you lose them.
7. You should keep this list and the cheques together.
8. The bank-clerk gives Jean-Robert a chitty so that he can collect his money.

Now listen to Passage 2, then answer the questions in English:

9. What should you do if you lose your passport?
10. What will you use as an identity card for the rest of your stay?
11. Will you be able to use it to cross the Channel?
12. And what should you do if you lose your camera?
13. What sort of details would you have to give?

B Equivalents

Find the French equivalents of the phrases below. They are all in Passage 1.

1. I'd like to change a traveller's cheque.
2. Could you show it to me?
3. What is the exchange rate for the pound today?
4. How much commission do you take?
5. Do you need my passport?
6. If I lose my traveller's cheques, who should I ask about it?
7. Should I go to the cash desk now?

C Si je perds mes travellers-chèques, où dois-je m'adresser?

Practise asking who you should approach if you lose these things:

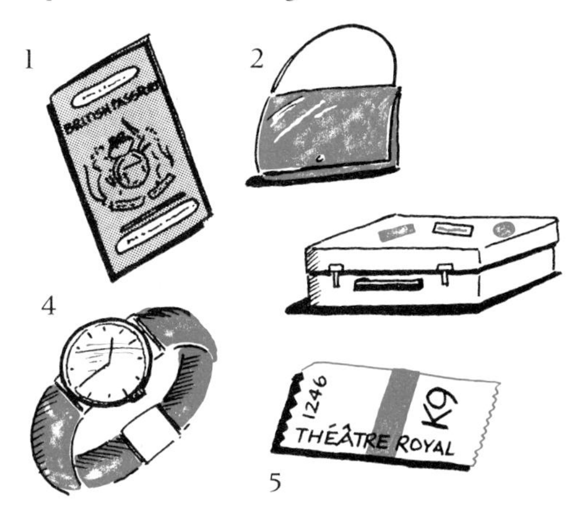

D J'ai perdu mon passeport au camping.

Say you have lost your purse/umbrella/ring/camera and where you have lost them: at the station/on the bus/in the park/at the cinema.

E **La marque. Le numéro de série. Le type.**
Practise describing objects of value which you are likely to take to France with you, such as your watch, purse, or camera. Remember you will want to comment on the colour, what it is made of (**en or/argent/synthétique/laine**, etc.), and any other identifying features (**tout ce qui peut servir à la recherche**).

Useful Expressions

Changing money at the bank

Il y a un bureau de change ici?
Is there a foreign exchange office here?

C'est ici | **la banque?** / **pour changer de l'argent?**
Is this | the bank? / the foreign exchange desk?

A quel guichet dois-je m'adresser pour changer de l'argent?
Where should I go to change money?

Vous acceptez | **les eurochèques?** / **American Express?**
Do you accept | Eurocheques? / American Express?

Je voudrais toucher un travellers-chèque/changer ces livres sterling en francs.
I'd like to cash a traveller's cheque/change these English pounds into francs.

Quel est le cours de la livre aujourd'hui?
What is the exchange rate for the pound today?

Quelle commission prenez-vous?/Combien prenez-vous de commission?
How much commission do you take?

A quel nom/bénéficiaire dois-je écrire le chèque?
Who should I make the cheque payable to?

Quelle est la date aujourd'hui?
What is today's date?

Où dois-je signer? Where should I sign?

Pouvez-vous (contre) signer ici?
Could you (counter) sign here?

Voici mon passeport/ma carte de garantie bancaire.
Here is my passport/cheque card.

Maintenant présentez ce ticket à la caisse.
Now hand over this chitty at the cash desk.

Pouvez-vous me donner deux gros billets et de la petite monnaie, s'il vous plaît?
Could you give me two large notes and some change, please?

Pouvez-vous me donner la monnaie de cent francs?
Could you give me change for 100 francs?

Objets trouvés

(There is often a lost property office at stations. If you have left something in a train or station, you should try there before going to the police.)

J'ai perdu mon appareil photo/mon portefeuille/mon porte-monnaie/ma montre/mon passeport/mes boucles d'oreille/ma valise/mon sac à main.
I've lost my camera/wallet/purse/watch/passport/earrings/case/handbag.

C'est quelle marque? What make is it?

C'est | **un Pentax/Kodak/Canon.** / **une Tissot/Omega/Timex.**
It's | a Pentax/Kodak/Canon. / a Tissot/Omega/Timex.

Il est | **grand/petit/vieux.** / **en cuir rouge.** / **en plastique vert.** / **en or/argent.**
It's | big/small/old. / made of red leather. / made of green plastic. / made of gold/silver.

Je l'ai oublié dans | **le car.** / **le jardin botanique.**
I left it in | the coach. / the botanic gardens.

Je dois l'avoir laissé | **dans le train.** / **au café.**
I must have left it | on the train. / at the café.

Role-play

1 A la banque

Act out this conversation in which you are changing money at the bank.

Vous: (Greet the clerk and ask if this is the foreign-exchange desk.)

L'employé: Oui, oui, monsieur/mademoiselle.

Vous: (Say you would like to cash a traveller's cheque.)

L'employé: Bien sûr. Pouvez-vous contresigner en haut, s'il vous plaît?

Vous: (Say there you are and here is your passport.)

L'employé: Merci.

Vous: (Ask what the exchange rate is today.)

L'employé: Attendez . . . la livre est à 11,45F.

Vous: (And ask what commission they take.)

L'employé: 7,50F par chèque.

Vous: (Say that is fine.)

L'employé: Alors maintenant il faut présenter ce ticket à la caisse.

Vous: (Thank him very much.)

2 A la caisse

Vous: (Greet the cashier and present your chitty.)

Le caissier: Numéro 28. Attendez un petit instant, monsieur/mademoiselle. Alors, nous voilà.

Vous: (Ask how much it comes to.)

Le caissier: Cinq cent cinquante-cinq francs et onze centimes.

Vous: (Ask if he could give you five large notes and some small change.)

Le caissier: Bien sûr. Alors, un, deux, trois, quatre, cinq cent cinquante-cinq francs et onze centimes, monsieur/mademoiselle.

Vous: (Excuse yourself and ask if he could give you change for fifty francs.)

Le caissier: Ah pardon, monsieur/mademoiselle. Quelques pièces de cinq francs, de un franc peut-être?

Vous: (Say yes. Twenty one-franc pieces for the telephone.)

Le caissier: D'accord. Voilà, monsieur/mademoiselle.

Vous: (Thank him very much.)

3 A la gendarmerie

You have lost your purse/wallet. With your partner, act out the situation at the police-station.

Vous: (Greet the policeman on duty.)

L'agent: Bonjour, monsieur/mademoiselle.

Vous: (Say you have lost your purse/wallet. It is red leather and quite new.)

L'agent: Où l'avez-vous perdu?

Vous: (Say you must have left it behind on the bus.)

L'agent: Qu'est-ce qu'il y avait dedans?

Vous: (Say about 100 francs and some small change.)

L'agent: Alors vous me donnez votre nom, votre adresse et si on a des nouvelles, on vous contactera tout de suite.

Vous: (Thank him very much.)

4 With your partner act out this situation at the bank. You wish to exchange £20 into francs. If the rate of exchange is 12 francs to the pound and the bank takes 8,50F commission, work out how many francs you will get. At the cash-desk, ask for some large notes and also some one-franc and five-franc pieces.

5 You left a plastic bag at the market by mistake. You put it down when paying for some vegetables and forgot to pick it up. When you returned the market had closed and the bag had disappeared! The bag contained your blue cagoule (**un k-way**) and a present for your sister – some valuable silver ear-rings! You go to the local gendarmerie. Copy out the **déclaration de perte** form below, filling in the details:

DÉCLARATION DE PERTE

Nom et adresse du demandeur:

. . . .

Description de l'objet perdu:

. . . .

Circonstances de la perte:

. . . .

13 Présentations

1 Marie et Katrine

Marie and Katrine are both from Quimper in Brittany but they meet for the first time when they are visiting pen-friends in England!

Marie: Salut. Je m'appelle Marie. Et toi?
Katrine: Katrine.
Marie: D'où viens-tu?
Katrine: De Quimper. Et toi?
Marie: De Quimper aussi.
Katrine: Ah ouais. De quel coin.
Marie: Euh, Dergué-Armel.
Katrine: Tiens, moi aussi.
Marie: Ah, on ne s'est jamais vues pourtant.
Katrine: Non, c'est bizarre.
Marie: Quelle est ton adresse?
Katrine: Vieille route de Rosporden.
Marie: Ah moi c'est Eau Blanche, c'est juste à côté.
Katrine: Ah oui, c'est marrant.
Marie: Tu es la correspondante de Jane?
Katrine: Oui. Et toi, celle d'Emma?
Marie: Oui, oui, oui.
Katrine: Elle est sympa?
Marie: Ah, très gentille.
Katrine: C'est la première fois que tu viens?
Marie: Oui, mais la deuxième fois en Angleterre.
Katrine: Ah ouais. Où t'es-tu allée la première fois?
Marie: A Plymouth.
Katrine: Ah ouais, tiens.
Marie: Tu as déjà été?
Katrine: Oui.
Marie: C'est bien?
Katrine: Oui.
Marie: Tu as des frères et soeurs?
Katrine: Oui, j'ai une soeur. Et toi?
Marie: Oui. Une soeur aussi.
Katrine: Elle a quel âge?
Marie: Dix-neuf ans.
Katrine: La mienne a dix-huit.
Marie: Dix-huit. Elle travaille?
Katrine: Non, elle est en terminale.
Marie: Dans la même école que toi?
Katrine: Oui.
Marie: Mmm. Comment s'appelle-t-elle?
Katrine: Anne. Et la tienne?
Marie: Christine.

on ne s'est jamais vues pourtant but we've never met before
bizarre strange
juste à côté just next door
marrant funny
la correspondante pen-friend (female)
sympa nice
la mienne/la tienne mine/yours
en terminale in the sixth form

2 Yann

Yann was born in Martinique in the West Indies but his family moved to Paris when he was just a baby.

Jacques: Comment t'appelles-tu?
Yann: Je m'appelle Yann Govindoorazoo.
Jacques: Tu es de quelle nationalité?
Yann: Française.
Jacques: D'où viens-tu en France?
Yann: Ben. Je ne viens pas de la . . . de France. Je suis originaire de Martinique.
Jacques: Quelle est ton adresse à Paris?
Yann: 17, rue du Javelot, c'est dans le treizième.
Jacques: Quel âge as-tu?
Yann: Quinze ans et demi.
Jacques: As-tu des frères et des soeurs?
Yann: Oui, j'ai deux frères et une soeur.
Jacques: Comment s'appellent-ils?
Yann: L'aîné s'appelle Patrick, la seconde s'appelle Nadiège et le troisième s'appelle Rudy.
Jacques: Quels âges ont-ils?
Yann: L'aîné a 23 ans je crois, oui, c'est ça. La seconde a 21 ans, le troisième a 19 ans.
Jacques: Et que font-ils dans la vie?
Yann: Mon frère aîné en ce moment fait des études de maths, ma soeur, elle

travaille à l'éco et mon frère est toujours au lycée.

je suis originaire de Martinique my family come from Martinique
dans le treizième in the thirteenth arrondissement (*an area of Paris*)
l'aîné the oldest
que font-ils dans la vie? what do they do for a living?
travailler à l'éco(nomie) to study economics

A Comprehension check

Listen to Marie and Katrine and answer the questions below.

1 What do Marie and Katrine find very strange?
2 What are their pen-friends' names?
3 Is it the first time Marie has been to England?
4 Have the girls got brothers and sisters?
5 How old are they and what are their names?

Listen to what Yann has to say and choose the correct answer **a** or **b**.

6 Yann is **a** French.
b a foreigner in Paris.

7 He lives in **a** Martinique.
b Paris.

8 He is **a** 14½ years old.
b 15½ years old.

9 He has **a** two brothers and a sister.
b two sisters and a brother.

10 His elder brother is studying
a maths.
b economics.

11 Who is still at school? **a** His brother.
b His sister.

B Equivalents

Now listen to and/or read both passages once more and write down the French equivalents of the following phrases:

1 What is your name?
2 Where do you come from?
3 What nationality are you?
4 What is your address?
5 How old are you?
6 Have you any brothers and sisters?
7 What is her name?
8 What are their names?
9 How old are they?
10 What do they do for a living?

C Identifying yourself

Imagine you are one of the characters below. Using some of the questions from exercise B, talk to your partner about your name, nationality, age, and where you come from.

NB anglais(e)/écossais(e)/gallois(e)/irlandais(e)

D Qu'est-ce qu'ils font dans la vie?

Match the statements to the correct speakers:

1 Je fais 200 kilomètres par jour.
2 Vous voulez une baguette, madame?
3 C'est une rondelle qu'il vous faut.
4 Je travaille dans un bureau.
5 Les voitures me fascinent.
6 Où est le blessé?

a employé (-e)
b infirmier (-ère)
c conducteur (-rice)
d plombier
e boulanger (-ère)
f mécanicien (-ne)

E Elle est comptable. Il est mécanicien.
She's an accountant. He's a mechanic. Notice that you do not need **un** or **une** before naming your profession. In a small group, take turns to mime a profession. The others must guess what profession it is. Use these phrases:

Êtes-vous . . .?
Non, je ne suis pas . . ./**Oui, je suis** . . .

F As-tu des frères et des soeurs?
Choose a family! Imagine some of the following are your brothers and sisters. With a partner, talk about their names and ages and what they do in life:

Useful Expressions

Salut! Hello! Hi!

Je m'appelle . . . My name is . . .

Je suis le/la correspondant(e) de Jane.
I am Jane's pen-friend.

Comment t'appelles-tu?
What is your name?

D'où viens-tu? Where are you from?

Je viens de Brighton. I am from Brighton.

Tu es de quelle nationalité?
What nationality are you?

Je suis de nationalité britannique/ française.
I am British/French.

Je suis d'origine écossaise mais j'habite à Londres maintenant.
I was born in Scotland but I live in London now.

Quelle est ton adresse?
What is your address?

Mon adresse est . . . My address is . . .

J'habite le 160 New Street.
I live at 160 New Street.

Quel est ton numéro de téléphone?
What is your telephone number?

C'est le 26-41-18. It's 264118.

Quel âge as-tu? How old are you?

J'ai quatorze ans et demi.
I am fourteen and a half.

As-tu des frères et des soeurs?
Have you any brothers and sisters?

J'ai un frère et une soeur.
I have one brother and one sister.

Je suis fils/fille unique.
I'm an only child (boy)/(girl).

Quel âge ont-ils? How old are they?

le/la cadet(-te) the youngest

l'aîné(-e) the oldest

Elle est mon aînée de deux ans.
She is two years older than me.

Il est mon cadet de cinq ans.
He is five years younger than me.

J'ai trois soeurs cadettes.
I have three younger sisters.

Qu'est-ce qu'elle fait/ils font dans la vie?
What does she do/do they do for a living?

Il/Elle est professeur/fonctionnaire/ comptable.
He/She is a teacher/civil servant/accountant.

Il/Elle est toujours à l'école.
He/She is still at school.

Role-play

With a partner act out these conversations in which you get to know each other:

1 *Vous:* (Say hello and ask the person's name.)
Un Français: Salut. Je m'appelle Jean-Claude.
Vous: (Ask if he is Mark's pen-friend.)
Jean-Claude: Oui, c'est ça. Tu parles très bien français.
Vous: (Say oh, thanks! and ask where he comes from in France.)
Jean-Claude: Je suis d'origine parisienne mais j'habite à Nice maintenant.
Vous: (Ask how old he is.)
Jean-Claude: J'ai quinze ans.
Vous: (Ask if he has any brothers and sisters.)
Jean-Claude: Oui, j'ai un frère.

2 *Jean-Claude:* Et toi, comment tu t'appelles?
Vous: (Say what your name is.)
Jean-Claude: Tu as des frères et des soeurs?
Vous: (Tell him how many brothers and sisters you have.)
Jean-Claude: Quel âge ont-ils?
Vous: (Tell him their ages.)
Jean-Claude: Que font-ils dans la vie?
Vous: (Tell him what they do, asking your teacher for names of professions if necessary.)
Jean-Claude: Habites-tu près d'ici?
Vous: (Say yes, very near and ask if he'd like to visit you this evening.)
Jean-Claude: Avec plaisir. Quelle est ton adresse?
Vous: (Give him your address and telephone number.)
Jean-Claude: D'accord. Je te téléphone plus tard.

3 You have three minutes to find out all you can about your partner! Ask his/her name, age, where (s)he comes from, his/her address and telephone number, whether (s)he has brothers and sisters, what are their ages and professions. Then answer his/her questions about you and your family. Be prepared to pass on the details about your partner to the rest of the class.
e.g. Il/Elle a quinze ans. Il/Elle a deux frères. Son frère aîné est mécanicien – il a 21 ans. Son frère cadet est toujours au lycée.

4 Here are the answers a new French friend gives you, but what were your questions?! See if you can write them down.

a Je m'appelle Dominique.
b Française.
c Je viens de Nice.
d J'ai seize ans.
e Oui, j'ai une soeur.
f Martine.
g Elle a dix-huit ans.
h Elle fait des études d'interprète.

5 Here is a letter from a new pen-friend.

Paris le 1 juin 1986

Bonjour Edward

Comment vas-tu? Moi, je vais bien.
Je me presente: Je m'appelle Pathoum, j'ai 14 ans ½, je suis en 4ème et je suis asiatique. J'ai 2 soeurs et 1 frère, ils ont 13, 10, et 6 ans. Je suis l'aînée de la famille. Je vis à Paris, la capitale de la France.
Ici, en France, je me lève à 7h 15 pour aller au Collège car on commence à 8h les cours.
J'apprends le français, l'anglais, l'allemand, les mathématiques, les sciences, l'éducation physique et l'éducation manuelle et technique (EMT), le dessin la musique, l'histoire et la géographie.
Je pratique beaucoup de sport: le basket, le football le hand ball et le volley ball.
Je serais bientôt en vacances le 13 Juin car les grands étudiants (17, 18) vont passer leur bac et on doit leur laisser nos salles de cours. Pendant les vacances j'irai au Havre près de la Manche, comme ça je pourrai peut-être aller en Angleterre. Et peut-être que je pourrai te voir.
Bon il faut que je m'en aille car ce n'est pas encore les vacances et je dois faire mes devoirs
J'espère que tu me répondras
Au Revoir, Ta correspondante Pathoum
[illegible]

PS: Écris moi le plus vite possible
Lots of Kisses BYE!

Reply to it, giving details about yourself and your family.

14 Chez Sylvie

You arrive at your pen-friend's house on your first visit. The introductions are over – but what if you are not accustomed to the food? Or to how French showers work?! Listen to how Katrine deals with these situations.

1 Le repas

Sylvie: On passe à table, si tu veux.
Katrine: D'accord. Je m'assois où?
Sylvie: Ici, si tu veux.
Katrine: Merci.
Sylvie: Tu veux de la salade?
Katrine: C'est quoi?
Sylvie: De la salade niçoise.
Katrine: Qu'est-ce qu'il y a dedans?
Sylvie: Des oeufs, des anchois, des tomates, de la salade.
Katrine: Je n'aime pas tellement les anchois.
Sylvie: Tu veux autre chose peut-être?
Katrine: Non, non. Ça ira. Ne te dérange pas.
Sylvie: J'ai du jambon si tu veux.
Katrine: Ah non, ça ira.
Sylvie: Ah bon.
Katrine: Merci quand même.
Sylvie: Tu veux du pain?
Katrine: Oui, une tartine.
Sylvie: Tiens.
Katrine: Merci.
Sylvie: De la boisson?
Katrine: Un peu d'eau, s'il te plaît.
Sylvie: Oui. Tu ne préfères pas du coca?
Katrine: Non.
Sylvie: Non.
Katrine: Merci.
Sylvie: Bon appétit.
Katrine: Merci. Et à toi aussi.

niçoise from Nice
des anchois anchovies
de la salade salad, lettuce
je n'aime pas tellement I'm not too keen on
ça ira it will be OK
ne te dérange pas don't worry
quand même all the same
une tartine a slice of bread
bon appétit enjoy your meal
de la boisson? something to drink?

2 La chambre

Sylvie: Viens, Katrine. Je vais te montrer ta chambre. Voilà. J'espère qu'elle te plaît.
Katrine: Oui, ça va.
Sylvie: Tu pourras ranger tes affaires dans cette armoire. Ici, il y a quelques portemanteaux.
Katrine: Oui, merci, mais où je pourrai ranger ma valise?
Sylvie: Tu pourras mettre ta valise dans ce placard si tu veux.
Katrine: D'accord.
Sylvie: La salle de bains est de ce côté.
Katrine: Comment fait-on pour prendre une douche?
Sylvie: Si tu veux prendre une douche, tu tournes le bouton vers la gauche. Si tu veux faire un shampooing, le sèche-cheveux se trouve sur l'armoire auprès de ton lit.
Katrine: D'accord. Merci.
Sylvie: Tu veux prendre un bain peut-être?
Katrine: Oui. Tout à l'heure.
Sylvie: Tu veux aller te coucher ou préfères-tu qu'on aille au cinéma?
Katrine: Non. Je préfère aller au lit. Je suis assez fatiguée.
Sylvie: Tu veux peut-être téléphoner à tes parents?
Katrine: Oui, je veux bien. Merci.

ranger tes affaires to tidy your things away
une armoire wardrobe
un portemanteau coat-hanger
la valise suitcase
la placard cupboard
le bouton knob
le sèche-cheveux hair-drier
auprès de beside
tout à l'heure shortly

A Comprehension check

Listen to Passage 1 carefully and answer the questions below:

1 What are they having for lunch?
2 What does Sylvie offer Katrine instead of anchovies?
3 Does Katrine accept the offer?
4 What does Katrine want to drink?

Listen to Passage 2 and answer the questions:

5 Where should Katrine put her things?
6 What about her suitcase?
7 How does the shower work?
8 Where is the hair-drier?
9 Does Katrine want to go out to the cinema this evening?
10 What does Sylvie think she might like to do?

B Equivalents

Find the French equivalents for these phrases:

In Passage 1 . . .

1 We can eat now if you like.
2 Where should I sit?
3 What is in it?
4 That's fine. Don't put yourself out.
5 Thanks all the same.

In Passage 2 . . .

6 I'll just show you your room.
7 I hope you like it.
8 There are some coat-hangers here.
9 If you want to wash your hair . . .
10 . . . the hair-drier is on top of the wardrobe.

C J'ai du jambon si tu veux.

Notice how Sylvie's voice 'lands' on **jambon**, the highest note in the phrase, because that is the alternative she is offering to the anchovies! Your French friend is not keen on fish and you have made fish and chips for supper. Practise offering these things instead, imitating the way Sylvie does it:

D Tu ne préfères pas du coca?

This is another way of offering things. Your friend says she'd like water, but you think she is just being polite. Practise asking if she would not prefer these things:

1 a fruit juice
2 a cup of coffee
3 a black tea
4 a milk-shake
5 a glass of wine

E Comment fait-on pour prendre une douche?

This is how Katrine asks how the shower works. Use the same phrase to ask how to do these things:

1 telephone London
2 wash your hair
3 plug in the hair-drier
4 switch off the radio
5 listen to records
6 wash clothes
7 change channels (on TV)
8 set the dishwasher going

F Tu veux prendre un bain peut-être? Tu veux peut-être téléphoner à tes parents?

Listen again to how Sylvie makes these tentative suggestions. How would you suggest these things to your French pen-friend? Perhaps (s)he might like to:

1 take a shower
2 go for a walk
3 eat now
4 have a cup of coffee
5 go to the cinema
6 go to bed early

Useful Expressions

Je suis très heureux(-se) de faire votre connaissance, monsieur./Enchanté(e), madame.
I am very pleased to meet you.

On passe à table maintenant.
It's time to eat now.

Où dois-je m'asseoir? Where should I sit?

Ça sent bon! That smells good!

Tu veux/Vous voulez de la salade?
Would you like some salad?

Oui, je veux bien. Yes, please.

Je te/vous sers? Shall I serve you?

Servez-vous!/Sers-toi! Help yourself!

Qu'est-ce que c'est exactement?
What is it exactly?

Qu'est-ce qu'il y a dedans?
What is in it?

Je regrette . . . | **Je suis désolé(e) . . .** | I'm sorry . . .

Je n'aime pas beaucoup les oeufs.
I'm not too keen on eggs.

Ça ira. Ne | **te dérange** / **vous dérangez** | **pas.**
This will be fine. Don't worry!

Merci quand même. Thanks all the same.

Veux-tu / **Voulez-vous** | **encore un peu de tarte?**
Would you like some more tart?

Avec plaisir, monsieur. Yes, please.

Merci, madame, ça va comme ca/j'en ai assez/ça me suffit.
No, thanks, that's plenty.

Qu'est-ce que | **tu veux** / **vous voulez** | **boire?**
What would you like to drink?

Un peu d'eau, s'il te/vous plaît.
A little water, please.

Tu/Vous ne préfères/préférez pas du coca?
You wouldn't prefer coke?

Tu peux/Vous pouvez me passer le sel,/le pain s'il te/vous plaît?
Could you pass the salt/bread please?

Bon appétit!
Have a nice meal!

Voici ta/votre chambre.
Here is your room.

Je vais te/vous montrer ta/votre chambre.
I'll show you your room.

Quel est mon lit? Which is my bed?

ranger tes/vos affaires
to put your things away

Où puis-je ranger ma valise?
Where can I put my suitcase?

Je vous remercie de votre hospitalité.
Thank you very much for your hospitality.

Vous êtes très gentil(le)(s).
You're very kind.

Je me suis bien amusé(e).
I've had a very good time.

l'armoire wardrobe
le placard cupboard
le lit bed
le sèche-cheveux hair-drier
l'édredon quilt
la couette duvet
l'oreiller pillow

l'évier sink
le lave-vaisselle dish-washer
la machine à laver washing-machine
le frigo fridge
le congélateur freezer
la cuisinière cooker

la douche shower
la baignoire bath
le lavabo wash-basin
la serviette towel
le WC toilet
le bidet bidet
la brosse à dents tooth brush
le sac de toilette toilet bag

le fauteuil armchair
le canapé sofa
le poste de télévision TV set
le magnétoscope video
la moquette carpet
la platine record deck

Role-play

1 A table

It is your first meal at your pen-friend Fabien's house. Act out the conversation at table with your partner.

Mme Nicolas: On passe à table si vous voulez.
Vous: (Ask where you should sit.)
Mme Nicolas: Ici, à côté de Fabien.
Vous: (Thank her and tell her the meal smells very good!)
Mme Nicolas: Je vous sers?
Vous: (Say yes please, and ask what it is)
Mme Nicolas: C'est du cassoulet.
Vous: (Ask what is in it.)
Mme Nicolas: Des haricots blancs, du porc, des légumes . . .
Vous: (Say you *love* beans!)
Mme Nicolas: Qu'est-ce que vous voulez boire?
Vous: (Say a little water, please. Ask Fabien if he could pass you the bread, and wish everyone an enjoyable meal.)
Mme Nicolas: Merci. Et à vous aussi.

2 La maison de Fabien

Fabien is showing you round the house. Act out the conversation with your partner.

Fabien: Alors, je vais te montrer la maison.
Vous: (Say all right and that you would like to take your bags up to your room.)
Fabien: Attends – je vais t'aider. Bien, voici ta chambre. J'espère qu'elle te plaît.
Vous: (Say yes, it is fine, and ask where you can put your things away.)
Fabien: Il y a une armoire là et une commode ici.
Vous: (Thank him very much and ask where the bathroom is.)
Fabien: De ce côté. Tu peux prendre une douche ou un bain quand tu veux.
Vous: (Say that is very kind and ask how you get the shower to work.)
Fabien: Tu appuies sur ce bouton-ci et puis tu tournes ici pour régler la température.
Vous: (Say right and ask where you can plug in your shaver/hair-drier.)
Fabien: Mais les prises sont différentes en France.
Vous: (Say yes, that is true – oh dear!)
Fabien: Ce n'est pas grave – je t'en prêterai un.
Vous: (Thank Fabien very much and say he is very kind.)

3 Imagine your pen-friend has just arrived from France.

Work with your partner, one of you taking the part of the pen-friend, and act out the conversation in which you offer him/her a typical English meal. Then show him/her round the house, explaining where everything is.

4 You go to a French friend's house for an evening meal. With a partner act out the situation at the table. As an hors d'oeuvre your hostess offers you **escargots** (snails). You are not very keen on them but tell your hostess not to worry, they will be fine. The next course is **boeuf bourguignon** (beef cooked in a red wine sauce). Say it smells nice and ask what is in it. Decline a second helping of **mousse au chocolat**, and after thanking your hosts for their hospitality, say goodbye.

5 You went to stay with your friend Giselle for a fortnight at their holiday home in the Pyrenees. You write to thank her mother for a wonderful stay. Copy out this letter, filling in the blanks by choosing from the words below.

> Chère Madame Durand,
>
> Je vous remercie beaucoup pour votre hospitalité pendant mon . . . . . . chez vous.
>
> Je me suis très bien amusé(e). C'était la première . . . . . . que j'allais dans les Pyrénées et j'ai . . . . . . apprécié les longues balades équestres me permettant d'admirer de si . . . . . . paysages.
>
> En espérant vous . . . . . . un jour, je vous envoie toute mon amitié,

revoir séjour beaux beaucoup fois

15 Les passe-temps

1 Marie

Katrine: Qu'est-ce que tu fais quand tu es libre?
Marie: Je vais au cinéma ou je fais du patinage.
Katrine: Tu aimes la musique?
Marie: Oui. Beaucoup.
Katrine: Quel genre de musique?
Marie: Le jazz et le funky.
Katrine: Et quels groupes tu préfères?
Marie: Euh . . . Foreign Yard et Barclay.
Katrine: Tu joues d'un instrument?
Marie: Oui. De la bombarde.
Katrine: Et est-ce que tu as un tourne-disque?
Marie: Oui, j'en ai un.
Katrine: Tu écoutes souvent la radio aussi?
Marie: La radio, moins souvent.
Katrine: Quelles émissions de télé tu préfères?
Marie: Les émissions où on parle de jeunes.
Katrine: Et ça te plaît, la télé?
Marie: Oui, mais je ne la regarde pas très souvent.
Katrine: Quelle sorte de programme tu aimes?
Marie: Les films . . . les sports . . .
Katrine: Est-ce que tu sors quelquefois avec tes copains?
Marie: Pas très souvent.
Katrine: Tu n'aimes pas?
Marie: Si . . . mais il faut avoir le droit déjà.
Katrine: Tes parents ne te laissent pas?
Marie: Non.
Katrine: Et est-ce que tu sors avec ta soeur?
Marie: Rarement.
Katrine: Où allez-vous quand vous sortez?
Marie: En boîte.
Katrine: Tu aimes?
Marie: Oui.

libre free
du patinage skating
quel genre . . .? what sort . . .?
la bombarde type of bassoon
un tourne-disque record-player
souvent often
l'émission broadcast
les copains friends, mates
avoir le droit déjà to be allowed to first
la boîte discothèque, night-club

2 Philippe

Frédéric: Quels sont tes passe-temps préférés?
Philippe: Ben, j'aime bien la musique mais surtout je sors avec des copains, des copines . . .
Frédéric: Et quel genre de musique aimes-tu?
Philippe: La musique . . . j'aime bien le folk et la musique des années '70 à peu près . . . Led Zep, Barclay.
Frédéric: Tu joues d'un instrument, je crois.
Philippe: Oui, de la guitare folk. Depuis pas très longtemps mais enfin.
Frédéric: Tu joues bien?
Philippe: Euh, ouf . . . pas trop, non.
Jacques: Si, si.
Philippe: Ça fait pas longtemps que j'en joue.
Frédéric: D'accord. Et tu joues dans un groupe comme ça?
Philippe: Non, non. Je joue des fois avec des copains mais au sein d'un groupe, non.
Frédéric: Et tu écoutes des disques?
Philippe: Oui, des disques de mes groupes préférés, quoi.
Frédéric: Et tu écoutes la radio?
Philippe: La radio, non, pas trop, je me réveille avec la radio le matin mais euh sinon, non.
Frédéric: Tu n'aimes pas lire, je crois?
Philippe: Non, lire, non.
Frédéric: Tu sors avec des copains des fois?
Philippe: Oui, souvent, je vais au café, enfin presque toute l'après-midi je suis au café, mais au cinéma – tout ça, non, ça ne me plaît pas tellement.

le passe-temps hobby
préféré favourite
des copains/des copines friends (male/female)
des années '70 from the seventies

depuis pas très longtemps I haven't been doing it for long
mais enfin but still
au sein d'un groupe in a band
des fois sometimes
je me réveille I wake up
sinon apart from that
ça ne me plaît pas tellement I'm not so keen on it

A Comprehension check
Listen to Passage 1 on tape then answer the questions below:

1 Marie, que fait-elle quand elle est libre?
2 Quels sont ses groupes préférés?
3 Qu'écoute-t-elle plus souvent – des disques ou la radio?
4 Regarde-t-elle beaucoup la télé?
5 Pourquoi ne sort-elle pas souvent avec ses copains?
6 Où va-t-elle quand elle sort avec sa soeur?

Now listen to Passage 2 on the tape and answer these questions:

7 Quel est le passe-temps favori de Philippe?
8 Quel genre de musique aime-t-il?
9 De quel instrument joue-t-il?
10 En joue-t-il depuis longtemps?
11 Quand écoute-t-il la radio?
12 Aime-t-il aller au cinéma?

B Equivalents
Skim through both passages and find the French equivalents for these questions:

1 What do you do in your spare time?
2 What are your favourite hobbies?
3 Do you like music/television?
4 What sort of music do you like?
5 What groups do you prefer?
6 Do you play a musical instrument?
7 Do you sometimes go out with friends?
8 Don't your parents let you?

Now find the French equivalents for these answers:

9 Mainly I go out with my friends.
10 I go ice-skating.
11 Yes, folk guitar.

12 Yes, I've got one.
13 Yes, but I don't watch it very often.
14 ... but the cinema, no, I'm not very keen on that sort of thing.

C Tu aimes la musique? Quel genre de musique?
Ask your partner whether (s)he likes these things and what sort they like:

1 films
2 food
3 books
4 sport
5 games
6 animals

D Tu écoutes souvent la radio?
Ask your partner if (s)he does these things often:

1 listen to records
2 play cards
3 go to discos
4 read books
5 watch television
6 do crosswords (**faire des mots-croisés**)

E Ça te plaît, la télé? Oui, ça me plaît beaucoup./Non, ça ne me plaît pas tellement.
Ask your partner if (s)he likes these things:

1 la musique des années soixante-dix
2 le jazz
3 le funky
4 écouter la radio
5 jouer d'un instrument
6 faire du jardinage

F Est-ce que tu sors avec ta soeur? Souvent./Pas très souvent./Rarement.
Ask your partner if (s)he often goes out

with his/her friends; brother/sister; mother/father; dog!

G J'aime bien la musique mais surtout je sors avec des copains.
Listen again to how Philippe says he likes music but he usually spends his time going out with friends. Then practise saying you do these things in the same way:

1 go to the cinema – watch television
2 read books – go to the disco
3 play a musical instrument – listen to records

Useful Expressions

Qu'est-ce que tu fais quand tu es libre?
What do you do in your spare time?

Quel est ton passe-temps préféré/favori?
What is your favourite hobby?

Aimes-tu la musique?
Do you like music?

Cela te plaît, la télé?
Do you like television?

Oui, j'adore ça. Yes, I love it.

Oui, j'aime beaucoup/bien la musique rock.
Yes, I'm very keen on rock music.

Non, je n'aime pas trop/beaucoup/ tellement le jazz.
No, I don't like jazz very much.

Ça ne me plait pas tellement.
I'm not so keen on it.

Je n'aime pas du tout la musique funky.
I do not like funky music at all.

J'ai horreur des films d'horreur!
I hate horror films!

Quel genre de livre aimes-tu?
What sort of books do you like?

les romans policiers/les histoires d'aventures/les bandes dessinées (des B.D.)/les romans historiques/les histoires d'amour/les récits de voyage
detective novels/adventure stories/cartoons/ historical novels/romances/travelogues

Quel est ton écrivain/auteur favori?
Who is your favourite writer/author?

Aimes-tu | **jouer aux cartes/aux échecs?**
| **les puzzles/les mots-croisés?**

Do you like | playing cards/chess?
| puzzles/crosswords?

Quel est ton chanteur préféré?
Who is your favourite singer?

Quels groupes préfères-tu?
Which are your favourite groups?

As-tu un tourne-disque/une platine?
Have you got a record-player/a (record/ cassette) deck?

Oui, j'en ai un(e). Yes, I have got one.

Non, je n'en ai pas. No, I haven't got one.

Joues-tu d'un instrument?
Do you play a musical instrument?

Oui, je joue du piano/de la guitare.
Yes, I play the piano/guitar.

Non. Aucun. No. None at all.

Ecoutes-tu la radio?
Do you listen to the radio?

Quelles émissions préfères-tu?
What broadcasts do you like best?

Regardes-tu la télévision?
Do you watch television?

Quelle sorte de programme aimes-tu?
What sort of programme do you like?

Les actualités/les dessins animés/les reportages/les documentaires/les feuilletons/la publicité/les variétés.
The news/cartoons/commentaries/ documentaries/serials/adverts/variety shows.

Sors-tu quelquefois avec tes copains?
Do you sometimes go out with your friends?

Vas-tu au cinéma/en boîte/au club?
Do you go to the cinema/disco/club?

Va-t-on se balader?
Shall we go for a stroll?

tous les jours every day

le vendredi/samedi on Fridays/Saturdays
quelquefois sometimes
souvent often
pas très souvent not very often
rarement rarely
jamais never

Role-play

Act out these conversations about your interests.

1 *Vous:* (Ask Frédéric what his favourite hobby is.)
Frédéric: J'aime lire mais surtout je vais au cinéma.
Vous: (Ask him what sort of films he likes.)
Frédéric: Les policiers. Et toi, cela t'intéresse, le cinéma?
Vous: (Say yes, you are interested in it but generally you watch TV.)
Frédéric: Ah oui, quelle sorte de programme aimes-tu?
Vous: (Say you like the documentaries and the serials but you are not very keen on the news.)
Frédéric: Aimes-tu les variétés?
Vous: (Not at all!)

2 Most young French people are very keen on British pop music. Nadine, your pen-friend, has come to stay. You ask her what she thinks.
Vous: (Ask Nadine if she likes music.)
Nadine: Oui, j'adore ça.
Vous: (Ask her which groups she prefers.)
Nadine: Les groupes des années soixantes. Tu as un tourne-disque?
Vous: (Say yes, you have got one. And you have got some Beatles records.)
Nadine: Chic, alors! Toi aussi, tu aimes les Beatles?
Vous: (Say not really – they are your mother's records.)
Nadine: Tu joues d'un instrument?
Vous: (Say you play the guitar.)
Nadine: Vas-tu quelquefois en boîte avec des amis?
Vous: (Say yes, sometimes. On Saturdays.)

3 Talk to your partner about his/her interests and write down what you have in common. Ask about his/her taste in music, films, television, reading-matter, etc. Then be ready to tell the others in the class the things you are both interested in and could do together.

4 Here are two letters written by French teenagers to their pen-friends. Read them both carefully, then choose one to reply to. Talk about your own interests and, if you write to Stéphane, give him the information he asks for:

Chère Correspondante,

Je m'appelle Véronique et j'ai treize ans. Je m'intéresse aux sports et surtout à l'équitation, à la gymnastique, à la danse moderne et au tennis. Je joue du piano depuis bientôt quatre ans. J'aime bien regarder la télévision quand je n'ai rien d'autre à faire. J'aime bien dessiner et peindre. J'ai un chien, un labrador qui va bientôt avoir deux ans. J'ai eu des poissons mais ils sont morts.
Bientôt c'est Noël et je le fête en famille. Nous ouvrons les cadeaux le 24 au soir et nous dînons ensuite.
Je n'ai ni frère, ni soeur. J'aimerai bien avoir un petit frère.
Mes dernières vacances se sont déroulées tout d'abord à St Pierre-sur-mer, près de Narbonne, il a fait très beau. Ensuite je suis allée à Sospel près de Nice, chez mes grands-parents. C'est en montagne et pas loin de la mer. Et puis j'ai passé trois jours en Belgique

Je t'embrasse. Véronique

le 29.12

Salut Johnny

Je te donne tout d'abord mon adresse
Laugier Stéphane
8, rue Albert Boyer
75013 PARIS FRANCE

Pourrais-tu dans ta réponse me donner des indications sur la vie Anglaise!... Quelles sont les musiques à la mode, l'habillement, les films....
Moi personnellement, je m'interesse beaucoup à la musique: FUNKY. NEW. WAVE, REGGAE
J'aime aussi la lecture, que ce soit des romans ou des B.D.
Que fais-tu généralement pendant les vacances?
En ce moment, en France la musique à la mode, c'est le FUNKY, comme IMAGINATION. Je joue du piano, je fais beaucoup de sport: foot, tennis, ski, ping-pong etc.. et j'adore le cinéma, mais ai horreur des films d'horreur...
A bientôt Salut Stéphane

16 Les sports

Young French people usually love sport, especially as it does not always form part of the school curriculum!

1 Frédéric

Philippe: Es-tu sportif?
Frédéric: Oui, je me considère assez sportif puisque je pratique deux ou trois sports.
Philippe: Lesquels?
Frédéric: Ben, je fais du rugby avec l'école, de la natation dans un club, du ski de temps en temps . . .
Philippe: Donc tu es membre d'une équipe pour le rugby et la natation?
Frédéric: Ben . . . pour le rugby, oui, je suis membre d'une équipe au lycée. Et la natation, je suis dans un club . . . je nage surtout individuellement.
Philippe: Tu as fait déjà des résultats assez bons?
Frédéric: En rugby nous sommes arrivés premiers de . . . championnat de Paris cette année et en natation j'ai fait des championnats de France – je suis arrivé quat'- ou cinquième.
Philippe: Tu vas des fois à la mer pour faire de la planche à voile, du ski nautique?
Frédéric: Ben, j'ai déjà essayé la planche à voile, c'est pas évident, et j'ai jamais ressayé.
Philippe: Donc tu ne fais que de la natation, quoi, tu nages seulement?
Frédéric: Ben. Je nage, oui.
Philippe: Et de l'alpinisme. Tu ne fais pas de sports de montagne?
Frédéric: Ben, je fais du ski, une fois par an.
Philippe: Une fois par an. Et où est-ce que tu vas pour pratiquer le ski?
Frédéric: Dans les Alpes en principe.
Philippe: Dans les Alpes.
Frédéric: Dans les Pyrénées de temps en temps mais surtout dans les Alpes.

sportif keen on sport
puisque since
lesquels? which ones?
la natation swimming
une équipe team
le championnat championship
la planche à voile windsurfing
du ski nautique water-skiing
essayer to try
ce n'est pas évident you're not automatically good at it!
de l'alpinisme mountaineering
en principe generally

2 Caroline

Sophie: Salut, Caroline. Alors, t'es sportive?
Caroline: Ouais. Ça va. Ouais.
Sophie: T'es membre d'une équipe?
Caroline: Pas d'une équipe mais d'un club.
Sophie: Qu'est-ce que tu fais comme sports?
Caroline: Ben, je fais de la voile et puis je fais un peu de natation et de la gym.
Sophie: Tu fais de la compétition?
Caroline: Ouais.
Sophie: Et de la gym, tu en fais où?
Caroline: Ben j'en fais au lycée après les heures de cours.
Sophie: Et est-ce que cela t'intéresserait de faire de l'alpinisme?
Caroline: De l'alpinisme. Ah non, pas du tout.
Sophie: Non. Et tu vas où pour pratiquer la voile?
Caroline: Ben quand on est . . . quand c'est juste le dimanche les régates comme ça c'est en . . . en Ile de France puis quand on a des longs weekends on part à la mer, on a des trucs . . .
Sophie: Et ça te plaît?
Caroline: Ben, oui. Sinon . . .
Sophie: Es-tu souvent partie faire des régates?
Caroline: Ben oui. Puisque ça fait dix ans alors maintenant je pars plus de temps.
Sophie: OK.

faire de la voile to sail
les heures de cours lesson time
la régate regatta

A Comprehension check

Listen to Frédéric and choose the correct answer **a** or **b**.

1 Frédéric thinks he is
- **a** quite 'sporty'.
- **b** not at all 'sporty'.

2 He plays rugby
- **a** with the school team.
- **b** with friends at the weekend.

3 He goes skiing
- **a** occasionally.
- **b** all the time.

4 He usually swims
- **a** with a team.
- **b** on his own.

5 At rugby his school came
- **a** first
- **b** second

in the Paris championships.

6 Frédéric is the fourth or fifth best swimmer
- **a** in Paris.
- **b** in the whole of France.

7 Frédéric
- **a** enjoys other water sports.
- **b** does not enjoy other water sports.

8 He generally goes skiing in the
- **a** Alps.
- **b** Pyrenees.

Now listen to the conversation with Caroline and answer these questions:

9 Is Caroline keen on sport?
10 Is she in a team?
11 What sports does she like?
12 Where does she take part in these sports?
13 Does it involve going away from home?

B Qu'est-ce que tu fais comme sports?

Practise saying you do these things:

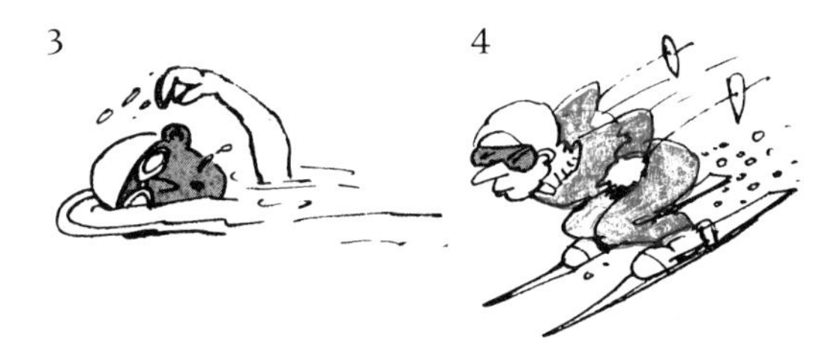

C Et tu vas où pour pratiquer la voile?

Practise saying where you would go to take part in the sports shown in the pictures in Exercise B.

D Cela t'intéresserait de faire de l'alpinisme? Oui, j'aimerais bien./Non. Pas du tout.

Ask your partner whether (s)he would be interested in:

E Find the question

Write down the French equivalents of the questions below. You will find them all in Passage 1.

1 Do you enjoy sport/are you 'sporty'?
2 Are you in a team?
3 Have you already had quite good results?
4 Do you go to the sea to windsurf and water-ski?
5 You don't do any mountaineering?
6 Where do you go to ski?

F Je fais du rugby . . . de la natation . . . du ski . . . de la voile.

Using the questions in Exercise E, ask your partner about his/her sporting preferences. Remember to swap roles so that you both have a chance to talk about your own interests.

Useful Expressions

Tu es sportif(-ve)? / **Tu fais du sport?** — Do you like sport?

Qu'est-ce que tu fais comme sports?
What sports do you practise?

faire du rugby to play rugby

faire de la voile to go sailing

l'alpinisme

le patinage à roulettes

Les sports d'hiver

le ski

le patinage à glace

Les sports nautiques

la plongée sous-marine

la natation

la voile

la planche à voile

la pêche

le ski nautique

le canotage

Tu es membre **d'une équipe?** / **d'un club?**

Are you in a team? / a club?

Tu fais de la compétition?
Do you go in for competitions?

Tu as fait de bons résultats?
Have you had good results?

Je suis/Nous sommes arrivé(e)(s) premier(ère)(s)/deuxième(s)/ dernier(ère)(s).
I came/We came first/second/last.

Où vas-tu pour pratiquer la voile/le ski?
Where do you go sailing/skiing?

Où fais-tu de la gym?
Where do you do gym?

Les sports d'équipe

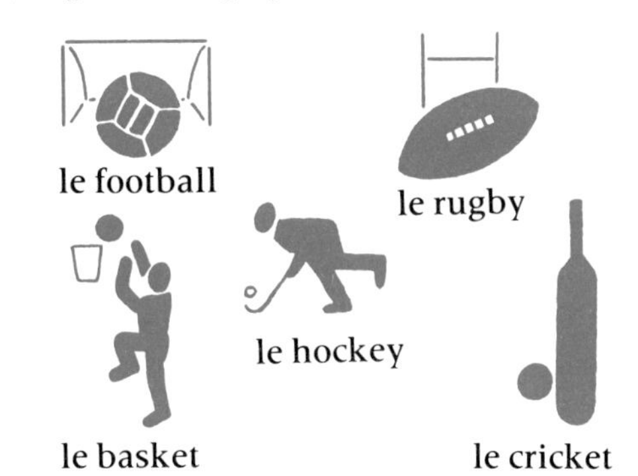

Les sports de compétition

la gymnastique

l'athlétisme

la boxe

le ping-pong

le golf

le tennis

le cyclisme

l'équitation

Role-play

With your partner, act out these conversations in which you talk to your French friend about sport. One of you should take the part of François.

1 *Vous:* (Ask François if he is a sporty type.)
François: Non. Pas du tout!
Vous: (Say really! Ask what sports he does.)
François: L'été je fais de la natation et puis l'hiver je fais du ski.
Vous: (Ask him where he goes skiing.)
François: En principe dans les Pyrénées – on a une maison de campagne là.
Vous: (Ask him if he likes it.)
François: Oui, oui, j'aime bien.
Vous: (And ask him if he goes to the sea to windsurf.)
François: Ah non, je ne fais que de la natation.

2 *François:* Et toi, tu es sportif/ve?
Vous: (Say yes, you like sport.)
François: Quels sports pratiques-tu?
Vous: (Say you play tennis and go swimming in the summer.)
François: Où vas-tu pour faire de la natation?
Vous: (Say you go to the swimming-pool!)
François: Et l'hiver?
Vous: (Say you play hockey/football at school.)
François: Et cela te plaît?
Vous: (Say yes, you like team games.)
François: Et après les heures de cours?
Vous: (Say you especially like going roller-skating on a Saturday.)

3 Using all the phrases you have encountered in this unit, have a long conversation with your partner about his/her likes and dislikes in sport. Be ready to tell the rest of the class all about him/her. You can make brief notes if you think it will help!

4 You see the adventure holidays below advertised in a guidebook issued by the Fédération Unie des Auberges de Jeunesse (FUAJ) – the Youth Hostelling Association. Choose one of the holidays and write to FUAJ, 6 rue Mesnil, 75116 Paris, asking them if they still have space on it and any other questions you might have about the holiday.

ÉQUITATION

Manège, promenade ou obstacle

Cours pour tous niveaux au "Club Hippique de la Côte Basque".

2 ou 3 heures de cours par jour selon la formule choisie.

L'A.J. et le club sont à 5 minutes de la mer.

Age minimum: 14 ans.

6 jours: **950 F** (2 h par jour).
1.160 F (3 h par jour).

CYCLOTOURISME

Val de Loire et Sologne à bicyclette

Tous niveaux. Age minimum: 16 ans.

7 jours: **830 F.**

Stages du 04.07 au 19.09 (début de stage).

Du dimanche dîner au dimanche petit déjeuner.

14 jours: **1.590 F.**

Stages du 04.07 au 12.09 (début de stage).

Du dimanche dîner au samedi petit déjeuner.

CUISINE

Nouveau Stage pour tous

La cuisine au canard gras

Vous apprenez à cuisiner avec un chef, vous emportez vos confits, et vous épatez vos copains.

Tarifs spéciaux pour couple et famille de 0 à 90 ans.

Garderie pour les enfants.

Prix à l'étude.

Stage un week-end de février ou mars.

DÉCOUVERTE DES RÉGIONS DE FRANCE

Val de Loire et Sologne à bicyclette et en bateau

Randonnée cyclotouriste avec canoë-kayak.

14 jours: **1.650 F.**

Stages chaque semaine du 27.06 au 15.08 (début de stage).

Du dimanche dîner au samedi petit déjeuner.

17 Matières scolaires

1 Katrine

Marie talks to Katrine about school-work. Katrine is in **troisième** – that is the equivalent of the fourth year in Britain.

Marie: Au lycée quelles matières prends-tu?
Katrine: Aucunes leçons libres – elles sont toutes obligatoires. Nous avons des maths, du français, de la physique, du sport, des sciences nats, de l'anglais, de la musique et du dessin. Mais à partir de la quatrième on doit choisir une deuxième langue.
Marie: Quelle est ta leçon préférée?
Katrine: J'aime bien l'anglais.
Marie: Depuis combien de temps apprends-tu l'anglais?
Katrine: Depuis cinq ans.
Marie: Combien de leçons as-tu par jour?
Katrine: Nous avons quat' leçons le matin et trois l'après-midi.
Marie: Combien de jours par semaine vas-tu au lycée?
Katrine: Le lundi, le mardi, le mercredi matin, le jeudi et le vendredi.
Marie: Ton lycée, c'est un lycée mixte?
Katrine: Oui.
Marie: Après les cours quelles activités y a-t-il?
Katrine: Ça dépend. On peut faire de la musique, de la danse, du sport, de l'art dramatique.
Marie: C'est intéressant?
Katrine: Je ne sais pas. Je n'en fais pas.
Marie: Aucun?
Katrine: Non, j'ai pas le temps. J'ai des devoirs à faire après . . . après l'école.
Marie: Tu es très sérieuse.

la matière subject
obligatoire compulsory
les sciences nats biology
à partir de (starting) from
la langue language
depuis combien de temps . . .? how long . . .?
par jour . . . par semaine per day . . . per week
des devoirs homework
sérieux(-se) hard-working

2 Yann

Yann is in **première** (like a British sixth form) at the Lycée Claude Monet in Paris.

Jacques: Quelles matières apprends-tu?
Yann: J'apprends les maths, la physique, le français, l'anglais, l'allemand, on fait de l'histoire, on fait . . .
Jacques: Et quelle est celle qui t'intéresse le plus?
Yann: Mes cours préférés sont l'histoire, les sciences nats, les maths aussi, j'aime bien ça.
Jacques: Et le cours d'anglais te plaît-il?
Yann: Il est assez intéressant – on a un prof qui apprend assez bien, oui.
Jacques: Et depuis combien de temps apprends-tu l'anglais?
Yann: Ça va faire la troisième ou deuxième année, je crois . . . troisième . . .
Jacques: Mouais. Combien d'heures de cours as-tu par jour?
Yann: Par jour? Ça dépend . . . Ça dépend des jours. Ça peut varier entre cinq heures et huit heures.
Jacques: Et tu vas combien de jours par semaine au lycée?
Yann: On a cours du lundi au mercredi, le mercredi après-midi on n'a pas cours. Sinon, on a congé le dimanche, c'est normal.
Jacques: Et ton lycée, est-il mixte?
Yann: Oui, oui.
Jacques: Tu aimes bien les filles?
Yann: Eh oui, quand elles sont belles!

les cours classes
un congé day off

A Comprehension check

Listen to what Katrine has to say in Passage 1 and answer the questions:

1 In Katrine's class
   a you can choose the subjects you wish to study.
   b you cannot choose the subjects you wish to study.
2 Katrine does not study
   a chemistry.
   b biology.
3 In the third year she had to choose
   a between music and art.
   b another foreign language.
4 She has been learning English for
   a four years.
   b five years.
5 She has more classes in
   a the morning.
   b the afternoon.
6 Katrine has
   a Wednesday afternoon off.
   b Thursday afternoon off.
7 After school Katrine
   a does music and sport.
   b does her homework.

Now listen to what Yann has to say in Passage 2 about his school week and answer the questions:

8 Which are Yann's favourite subjects?
9 Why is the English lesson 'assez intéressant' according to Yann?
10 How long has he been learning English?
11 How many hours of lessons does he have per day?
12 Which days does he have off?
13 Is Yann's a mixed school?
14 Does he like girls?!

B Equivalents
Find the French equivalents of these phrases in the passages on tape and write them down:

1 What subjects do you take?
2 What is your favourite lesson?
3 How many lessons do you have per day?
4 How many days a week do you go to school?
5 Is your school mixed?
6 What after-school activities are there?

C Use the questions you have written down in Exercise B to ask your partner about their school day. Add questions of your own to find out as much as you can about what they do. And don't forget to swap roles so that *you* have a chance to answer the questions, too.

D Depuis combien de temps apprends-tu l'anglais?
Notice that, to talk about how long you've *been doing* something (and still are) you use the present tense with **depuis**. Ask your partner how long they have been learning some of the subjects they take.

E Le cours d'anglais te plaît-il?
Oui, beaucoup. J'adore ça./Oui, il est assez intéressant./Pas beaucoup – je le trouve ennuyeux./Pas du tout!
Choose *six* subjects mentioned by your partner in Exercise C and ask whether your partner likes them. They can choose a reply from those given above or make up their own!

Useful Expressions

Quelles matières apprends-tu?
What subjects do you take?

Quel est ton cours préféré?
What is your favourite class?

les matières obligatoires/facultatives
compulsory/optional subjects

Depuis quand/combien de temps apprends-tu l'anglais/le français?
How long have you been learning English/French?

En quelle classe es-tu?
What class are you in?

en sixième in the first year
en cinquième in the second year
en quatrième in the third year
en troisième in the fourth year
en deuxième in the fifth year
en première in the sixth year
en terminale in the upper sixth

Je ne suis pas fort(e) en maths.
I'm not very good at maths.

Combien de leçons as-tu par jour?
How many lessons do you have per day?

Et combien de jours par semaine vas-tu au lycée?
And how many days a week do you go to school?

On a congé le dimanche.
We have Sunday off.

On n'a pas cours le mercredi après-midi.
We do not have lessons on Wednesday afternoon.

Ton lycée, c'est un lycée mixte?
Is your school mixed?

Après les cours quelles activités y a-t-il?
What activities are there after school?

Le cours de français te plaît-il?
Do you like the French class?

Il est assez intéressant.
It's quite interesting.

Oui, il est marrant. Yes, it's fun.

Non, je le trouve ennuyeux.
No, I find it boring.

les langues languages
l'anglais English
le français French
le latin Latin
l'allemand German
l'espagnol Spanish

les sciences sciences
la physique physics
la chimie chemistry
les sciences naturelles biology

l'éducation physique PE
le sport sport
la gymnastique gymnastics
l'athlétisme athletics

d'autres matières other subjects
les mathématiques maths
l'histoire history
la géographie geography
la musique music
le cours de religion religious education
le travail manuel handicraft
la science économique economics
la science sociale social science
l'enseignement ménager
home economics
la couture sewing
l'art dramatique drama
le dessin art

Role-play

With a partner act out these conversations about school with a French friend.

1 *Vous:* (Ask what subjects she takes.)
Isabelle: Je suis des cours de maths, de sciences nats, de français, d'anglais, d'histoire-géo . . .
Vous: (Ask her which is her favourite class.)
Isabelle: Les sciences nats – j'adore ça.
Vous: (Ask her if she likes maths.)
Isabelle: Oui, mais . . . je ne suis pas très forte en maths!
Vous: (Ask how many lessons she has a day.)
Isabelle: Six ou sept.
Vous: (And ask if she has a day off.)
Isabelle: Oui, on n'a pas cours le mercredi après-midi. Et puis le dimanche.
Vous: (Ask what she does after lessons.)
Isabelle: Je joue de la guitare et je fais de la gym.

2 *Jean-Claude:* Et toi, qu'est-ce que tu fais après les cours?
Vous: (Say you go home and do your homework.)
Jean-Claude: Tu es très sérieux/-se!
Vous: (Say not really. It has to be done.)
Jean-Claude: Cela te plaît, le cours de français?
Vous: (Say it's quite interesting, but you prefer to learn French in France with him!)
Jean-Claude: D'accord. Quel est ton cours préféré?
Vous: (Say you like art and you are very keen on sport.)
Jean-Claude: Quelles activités y a-t-il après les cours?
Vous: (Say there is music, drama, and dance.)
Jean-Claude: C'est un lycée mixte?
Vous: (Say yes, it is mixed.)
Jean-Claude: Tu aimes bien les filles?/les garçons?
Vous: (Say yes, of course!)

3 Act out a similar conversation to 1 and 2 above in which you express your own views about school subjects and after-school activities, and talk about your timetable.

4 Emploi du temps
Here is a French girl's description of her school week. Read it carefully, then answer the questions below the passage:

Je m'appelle Marie Laure CHILLON
Je me rends chaque jour au lycée Claude-Monet.
Et voici comment ça se passe.

4e4 Marie Laure CHILLON

Emploi du temps

Le Lundi: Je me lève tous les Lundi à 7H15. Le 1er cours commence à 8H15: c'est le cours de latin. A 11H15 c'est la cantine. L'après-midi je commence à 12H30. L'heure d'après commence à 13H30. Puis à 14H20, à 13H30 et à 16H30. Après je rentre à la maison.

Même journée pour le Jeudi

Le Mardi: Je commence à 9H10, même restant de la journée que Lundi et Jeudi. Sauf que je termine à 15H30.

Le Mercredi: Je commence à 8H30. J'ai cours de gymnastique jusqu'à 10H05. De 10H05 à 11H15 j'ai une heure de permanence. Après de 11H15 à 12H10 j'ai cours de latin. Ensuite j'ai toute l'après-midi de libre.

Le Vendredi: Je commence le 1er cours à 9h10. Tout de suite après j'ai à 10H05 cours de Français. Après la cantine, de 12 à 16h j'ai cours.

Le samedi: Même demi-journée que le Mercredi.

permanence free period in study room

a How does Marie-Laure start her week?
b What time is lunch?
c Would you look forward to Wednesdays if you were Marie-Laure? Why (not)?
d What time does she start and finish school on Friday?
e Does Marie-Laure go to school on Saturday?
f Do you think you spend more or less hours in school than Marie-Laure?

5 Write a description of *your* school week, so as to give a French teenager an idea of what happens in an English school.

18 Les grandes vacances

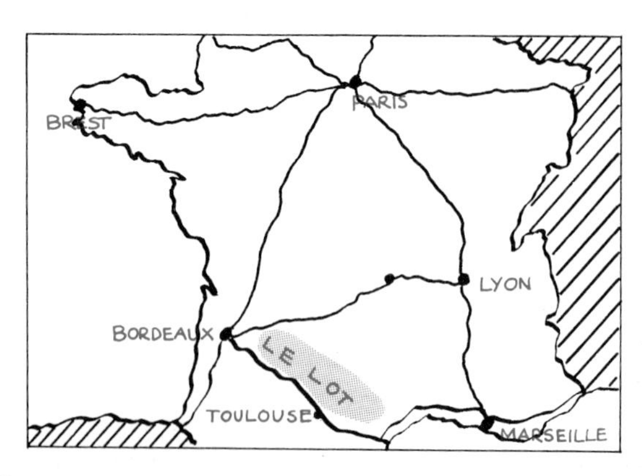

1 Jacques

Yann: Où vas-tu en vacances d'habitude?
Jacques: Ça dépend . . . je passe le mois de juillet – je pars avec mes parents et à partir du mois d'août je me retrouve dans le Lot.
Yann: Et qu'est-ce que tu aimes faire?
Jacques: Pendant les vacances? J'aime bien sortir. J'aime bien pêcher. J'aime bien la campagne surtout.
Yann: Tu es déjà allé en Angleterre?
Jacques: Non. Mais je suis allé en Irlande.
Yann: Il paraît qu'il fait même un peu froid là-bas.
Jacques: Il fait très froid par rapport à la France, oui.
Yann: Ouais. D'accord. Sinon. Où as-tu logé en Irlande?
Jacques: J'étais dans une famille fermière.
Yann: Comment t'es-tu rendu là-bas?
Jacques: J'y suis allé en avion.
Yann: Pour combien de temps es-tu resté?
Jacques: J'y suis resté deux semaines.
Yann: Ah. D'accord. As-tu fait des projets pour les grandes vacances?
Jacques: Oui. Je vais repartir en Irlande au mois de juin jusqu'au début juillet et sinon après je partirai avec mes parents je ne sais où . . .
Yann: Pour combien de temps comptes-tu rester dans le Lot?
Jacques: Je compte y rester à partir du 25 juillet à peu près jusqu'au début septembre . . . un peu avant pour revenir.
Yann: Où vas-tu loger?
Jacques: Chez mes grands-parents dans une maison à la campagne.
Yann: Ils ont une maison à la campagne?
Jacques: Ouais.
Yann: Ah. D'accord. C'est un château? Une villa?
Jacques: Non, non. C'est une maison . . . une maison de campagne. Une ferme un peu.
Yann: Ah. D'accord. Qu'est-ce que tu vas y faire?
Jacques: Je vais pêcher. Je vais me promener. Je vais . . .
Yann: Et ce genre de vacances te plaît?
Jacques: J'adore ça, oui, j'aime bien la campagne.
Yann: Tu es très naturel, alors?
Jacques: Ouais. Très.
Yann: Mm. D'accord.

pêcher to fish
par rapport à compared to
se rendre to go/get somewhere
faire des projets to make plans
jusqu'à until
le début beginning
sinon apart from that

2 Katrine

Marie: Tu es déjà allée en Angleterre?
Katrine: Oui, c'est la troisième fois que je viens.
Marie: Où ça?
Katrine: Je suis allée à Plymouth et à Cambridge.
Marie: Cela t'a plu?
Katrine: Oui, beaucoup.
Marie: Où es-tu restée?
Katrine: A Plymouth j'étais en caravane et à Cambridge chez ma correspondante.
Marie: Tu as pris l'avion ou le bateau?
Katrine: Le bateau les deux fois.

Marie: Et c'était bien?
Katrine: Oui, oui.
Marie: Pas trop long?
Katrine: Si!
Marie: Tu as aimé la nourriture anglaise?
Katrine: Oui, en général, j'aime bien.
Marie: Tu as visité les monuments?
Katrine: Oui, j'ai visité Londres. Les Dartmoors quand je suis allée à Plymouth. Autrement, Cambridge et puis les environs.
Marie: Mm. Quel aspect de la vie anglaise t'a plu?
Katrine: Je trouve les gens plus sympathiques qu'en France. Euh. Autrement j'aime bien regarder la télévision.

la correspondante pen-friend (female)
autrement besides that
les environs surroundings
sympathique friendly, nice

A Comprehension check

Listen to Passage 1 carefully and answer the questions.

1 What does Jacques usually do in the summer holidays?
2 What does he like doing?
3 Has he been to England?
4 Where did he stay?
5 How did he get there?
6 How long did he stay?
7 What is he going to do this year?
8 Where will he stay in Lot?
9 Is it a château?
10 Why does Yann describe Jacques as 'très naturel'?

Listen to Passage 2 and choose the correct answer **a** or **b**:

11 Katrine is on her
a second | visit to England.
b third |

12 In Plymouth she stayed
a in a caravan.
b with a pen-friend.

13 She came to England
a by boat.
b by plane.

14 She found the journey
a terrible.
b too long.

15 In general she
a liked | English food.
b did not like |

16 She finds that English people are
a friendly.
b cold.

17 When in England
a she just watches TV.
b she likes watching TV.

B Tu es déjà allé(e) en Angleterre? Non. Mais je suis allé(e) en Irlande./ Oui. Je suis allé(e) à Londres.

Talk to your partner about whether you have been to the countries marked on the map.

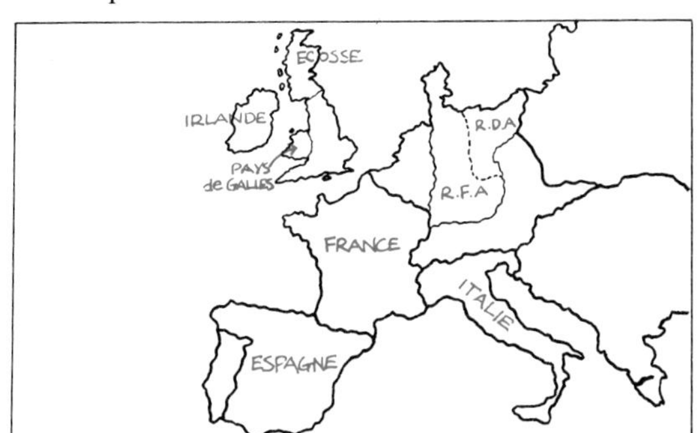

C Où as-tu logé en Irlande? J'étais dans une famille fermière.

Talk to your partner about where you stayed when you went to the countries mentioned in Exercise B. Did you stay:

dans un hôtel; chez des amis; dans une tente/caravane; chez un(e) correspondant(e); dans une auberge de jeunesse?

D Comment t'es-tu rendu(e) là-bas? J'y suis allé(e) en avion.

Again, ask about the places you have been to. Did you go:

1 à vélo

2 en stop

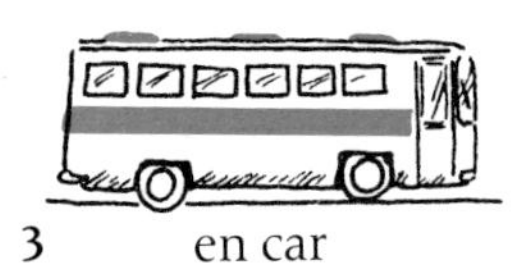

3 en car

4 en voiture

E **Pour combien de temps es-tu resté(e)?**
J'y suis resté(e) deux semaines.
Once more ask about your trips, this time how long you stayed. Was it for:

un week-end; deux ou trois jours; une semaine; une quinzaine (*a fortnight*); un mois?

F **As-tu fait des projets pour les grandes vacances?**
Oui, je vais repartir en Irlande.
Practise saying you are going to go to these places:

G **Qu'est-ce que tu vas y faire?**
Je vais sortir/pêcher/me promener.
Ask your partner about what they will do once they get to the places mentioned in Exercise F.

Useful Expressions

There is usually a lot of coming and going on holiday. Remember you have to use **être** to form the past with verbs of motion:

Es-tu déjà allé(e) en France?
Have you been to France before?

Je suis allé(e) à Paris.
I have been/I went to Paris.

Comment t'es-tu rendu(e) là-bas?
How did you get there?

J'y suis allé(e) en avion. I went by plane.

Nous sommes resté(e)s quinze jours.
We stayed for a fortnight.

Je suis rentré(e) avant-hier.
I got back the day before yesterday.

But for most things you did, use **avoir** as usual:

J'ai vu la Tour Eiffel.
I saw the Eiffel Tower.

Cela m'a plu beaucoup.
I liked it very much.

On a visité le Louvre.
We visited the Louvre.

Où as-tu logé? Where did you stay?

Chez mes grands-parents.
At my grand-parents' house.

As-tu fait des projets pour les grandes vacances?
Have you made any plans for the summer holidays?

Je vais repartir en Irlande/pêcher/me promener.
I am returning to Ireland/going fishing/going walking.

Je partirai avec mes parents.
I'm going to go away with my parents.

Je compte y rester jusqu'au début septembre.
I intend to stay there till the beginning of September.

Depuis combien de temps habites-tu à Londres?
How long have you been living in London?

Depuis six ans. For six years.

Pour combien de temps comptes-tu y rester?
How long do you intend to stay there?

Pour quatre semaines. For four weeks.

Pendant combien de temps as-tu habité en Angleterre?
How long did you live in England?

Pendant deux ans. For two years.

Role-play

Act out these conversations about holidays with your partner.

1 *Marc:* Tu es déjà allé(e) en France?
Vous: (Say yes, you have been to Paris.)
Marc: Cela t'a plu?
Vous: (Say very much! You visited Notre-Dame cathedral and you saw the Eiffel Tower.)
Marc: Où as-tu logé?
Vous: (Say you stayed at the youth hostel.)
Marc: Tu t'es rendu(e) là-bas en avion?
Vous: (Say no, you went by coach and boat.)
Marc: Pendant combien de temps es-tu resté(e) à Paris?
Vous: (Say only a week, but you are returning to France next year.)

2 *Vous:* (Say what about you and ask if he has made any plans for the summer holidays.)
Marc: Oui, je compte partir en Angleterre.
Vous: (Ask where exactly he was thinking of going.)
Marc: Je vais passer une semaine à Londres et puis je vais aller en stop jusqu'à Edimbourg.
Vous: (Ask how long he intends to stay there.)
Marc: A partir du 15 août jusqu'à la fin du mois.
Vous: (Say really! and that *you* also are going to Edinburgh with your parents.)
Marc: Qu'est-ce que tu vas y faire?
Vous: (Say you are going to walk around town, visit the main sights . . .)
Marc: On pourrait peut-être les visiter ensemble . . .?
Vous: (Agree with him! and suggest that perhaps you could go out together in the evening, to the cinema or a disco.)

3 Talk to your partner about what you did last holidays and your plans for next summer. Use as many of the phrases you have learnt as you can.

4 Here are two letters sent to friends by French teenagers on holiday by the Mediterranean. Read them carefully, noting any phrases you think you would like to use yourself, then write a letter to your **correspondant(e)** describing what you did during the **grandes vacances**.

Cannes, 1er Août

Ma chère soeur

Je passe des vacances for-mi-da-bles! Il fait très beau, le sable est chaud, la mer est bleue. Nous avons beaucoup d'amis, la planche à voile nous sert souvent. Hier nous avons été faire de la plongée sous-marine, c'était super bien. Le soir nous sommes allés tous ensemble faire des balades. Nous avons fait une sortie en hélicoptère, j'ai pris pleins de photos. Je bronze, je suis presque noire.

Bon! Salut!

Je t'embrasse

Ta petite soeur

Isabelle

Italie Sorrento 22/7

Cher David

Je passe d'excellentes vacances. Chaque matin, je me réveille à l'aurore pour regarder le lever du soleil et admirer son premier rayon. Puis je vais me restaurer en me rendant à la salle du petit déjeuner de l'hôtel. Ensuite, je me mets en maillot de bain et je vais plonger dans la mer chaude de la méditerranée. Vers 5H, je rentre à l'hôtel. Vers 8H, je descends en ville pour dîner avec mes parents dans un restaurant. Puis je rentre vers 10H et m'endors vers minuit. C'est très agréable. J'espère que tu passes de très bonnes vacances toi aussi.

Au revoir.

PS: Dis bonjour à tes parents de ma part.

Jean-Christophe Le Loquin

19 La vie quotidienne

1 Isabelle

Jean-François: Tu te lèves de bonne heure le matin?
Isabelle: Vers 7h20.
Jean-François: Et le dimanche?
Isabelle: 8h30.
Jean-François: Ce matin à quelle heure t'es-tu levée?
Isabelle: 8h30.
Jean-François: A midi tu rentres à la maison pour déjeuner?
Isabelle: Oui.
Jean-François: Chez toi à quelle heure mange-t-on le soir?
Isabelle: Le soir, ça dépend, cela varie selon les journées, vers soit sept heures, soit huit heures.
Jean-François: Et qu'est-ce que vous faites après le repas du soir.
Isabelle: On regarde la télé, on joue aux cartes ou on se couche.
Jean-François: A quelle heure te couches-tu d'habitude?
Isabelle: Vers dix heures.
Jean-François: Aides-tu ta mère à faire la vaisselle?
Isabelle: Oui. A manger aussi.
Jean-François: Hier soir qu'as-tu fait?
Isabelle: Hier soir nous avons reçu des amis. Nous avons dîné, nous avons joué aux cartes et nous nous sommes couchés vers 10h30, onze heures.

2 Yann

Jacques: Te lèves-tu de bonne heure le matin?
Yann: Ça dépend des jours. En général, oui. Pour aller à l'école surtout.
Jacques: Et le dimanche?
Yann: Le dimanche. Ça dép . . . c'est vraiment . . . ça varie. Des fois je me lève de très bonne heure pour aller jouer au tennis ou faire un footing avec mes frères. Sinon je fais la grasse matinée. Je me lève à onze heures, midi.
Jacques: Et ce matin par exemple tu t'es levé à quelle heure?
Yann: Ce matin je me suis levé à 6h30. Oui. J'avais un devoir à rendre alors j'ai . . .
Jacques: Tu es sérieux?
Yann: Oui, assez.
Jacques: Et à midi rentres-tu déjeuner à la maison?
Yann: Enfin oui, ça dépend. Parfois je suis chez des copains. Sinon je rentre chez moi.
Jacques: Tu manges vers quelle heure à midi?
Yann: A midi je mange vers les . . . enfin, après l'école, c'est-à-dire à midi et demie.
Jacques: Et le soir à peu près?
Yann: Le soir quand mon père est là on mange à 7h30. Sinon, c'est vers les huit heures et quart en regardant la télévision.
Jacques: Et que fais-tu après avoir mangé le soir?
Yann: Soit je regarde un film, ou soit je vais travailler, soit je vais me coucher aussi.
Jacques: Tu te couches tôt ou ça dépend?
Yann: Ça dépend. Comme je vais te dire . . . comme je me lève tôt ou tard le matin, je me couche tôt ou tard aussi le soir.
Jacques: Et hier soir qu'as-tu fait par exemple?
Yann: Hier soir je me suis couché vers les huit heures et demie. J'étais très fatigué.
Jacques: Tu avais fait du sport?
Yann: Non, mais c'est à dire que comme c'est les vacances, j'essaie de me reposer pour être en forme, quoi!

faire la grasse matinée to have a lie-in
sérieux hard-working
c'est-à-dire in other words
soit . . . soit . . . either . . . or . . .
en forme fighting fit

A Comprehension check

Listen to Passage 1 carefully, then answer the questions:

1 Isabelle, se lève-t-elle de bonne heure le dimanche?
2 A midi mange-t-elle au lycée?
3 Mange-t-elle tous les soirs à huit heures?
4 Que fait-elle après le repas du soir?
5 Aide-t-elle sa mère?
6 Hier soir s'est-elle couchée plus tard que d'habitude?
7 Qu'a-t-elle fait?

Now listen to Passage 2 and choose the correct alternative, **a** or **b**:

8 Yann usually gets up early
- **a** for school.
- **b** to play football.

9 On Sunday he
- **a** sometimes
- **b** usually

gets up very early.

10 This morning
- **a** he had a lie-in.
- **b** he got up early to do some homework.

11 Yann has lunch
- **a** at home.
- **b** at school.

12 In the evening his family
- **a** usually have a very formal meal.
- **b** eat supper round the TV.

13 After the evening meal Yann
- **a** watches TV or does some work.
- **b** goes out to the café.

14 Last night he went to bed
- **a** very early.
- **b** very late.

B Te lèves-tu de bonne heure le matin?

Notice these other reflexive verbs which work in the same way as **se lever** and **se coucher**:

Ask your partners:

1 what time they wake up in the morning.
2 whether they get up immediately.
3 what they do next.
4 whether they brush their teeth before or after breakfast!

C Et ce matin? T'es-tu levé(e) de bonne heure?
Je me suis levé(e) à 8h30.

Now see if your partners stick to their routine. Put them on the spot by asking what happened *this* morning. Ask:

1 what time they got up this morning.
2 whether they washed or shaved!
3 whether they got dressed carefully (**avec soin**).
4 whether they brushed their teeth!

D Find the questions

Here are the answers – but what were the questions? Find them in the texts and write them down:

1 Non, je reste au lycée pour déjeuner.
2 Le soir on mange à six heures, sept heures – ça dépend.
3 Soit je regarde la télévision, soit je sors visiter des copains.
4 Je me couche d'habitude vers 10h30.
5 Hier soir je me suis couché à neuf heures.

E A midi je rentre à la maison.

Using the questions you have written down in Exercise D ask your partners about their personal habits! Ask what time they usually get up, have lunch and supper, what they do in the evening, and what time they go to bed.

F On regarde la télé . . . on joue aux cartes . . .
Practise using **on** to say that in your family:

1 you eat at seven o'clock.
2 you wash up.
3 you chat a bit.
4 you play ping-pong or chess.
5 you go to bed at 9.30.

G Hier soir qu'as-tu fait?
Practise saying you did these things:

H On mange vers 8h15 en regardant la télévision.
Yann says they eat whilst watching television. Using the same expression, **en . . . ant**, practise saying you:

1 wash up whilst listening to the radio.
2 eat breakfast whilst reading the paper.
3 do your homework whilst listening to records!

I Que fais-tu après avoir mangé le soir?
Notice this way of talking about two events in the past. **Après avoir mangé, j'ai fait la vaisselle** – I ate, then I washed up. Use the same construction to say:

1 You did your homework then you went to the cinema.
2 You saw the film then you went back to Julie's house.
3 You listened to records and then you chatted a bit.
4 You came home and you went to bed.

J Alibi
A murder was committed in your street last night. Inspector Clouseau is about to appear to investigate. Write down exactly what you did last night (with times) so that you have a totally watertight alibi!

Useful Expressions

A quelle heure te lèves-tu le matin?
What time do you get up in the morning?

Je me lève à . . . heures.
I get up at . . . o'clock.

A quelle heure t'es-tu levé(e) ce matin?
What time did you get up this morning?

A midi rentres-tu à la maison pour déjeuner?
Do you go home for lunch at midday?

Oui, on fait un repas assez solide à midi.
Yes, we have quite a large meal at midday.

Non, je mange des sandwichs au lycée.
No, I have sandwiches at school.

Chez toi à quelle heure mange-t-on le soir?
What time do you have supper in the evening?

Le soir on mange à sept heures.
We usually eat at seven in the evening.

Que fait-on après le repas du soir?
What do you do after the evening meal?

On fait la vaisselle. We wash up.

Je fais mes devoirs. I do my homework.

Je sors avec mes ami(e)s.
I go out with my friends.

A quelle heure te couches-tu d'habitude?
What time do you usually go to bed?

En général je me couche vers dix heures.
I usually go to bed at about ten o'clock.

J'ai regardé la télévision.
I watched television.

On a reçu des amis.
We had some friends round.

A quelle heure t'es-tu couché(e)?
What time did you go to bed?

Je me suis couché(e) à minuit.
I went to bed at midnight.

Role-play

Act out these situations with your partner.

1 You have just arrived at your pen-friend's house on your first visit to France. You want to find out what time things are usually done so that you don't put your foot in it!

One of you should take the part of Fatima's mother. (NB! Use **vous** when talking to your elders.)

Vous: (Say sorry to bother you, Mme Hadj-Hamdri, and ask what time everyone gets up in the morning.)
Mme Hadj-Hamdri: Oh, en général, on se lève vers sept heures.
Vous: (Gulp! Ask what time they usually have breakfast.)
Mme Hadj-Hamdri: A sept heures et demie.
Vous: (Ask if Fatima comes home for lunch.)
Mme Hadj-Hamdri: Ah non. C'est trop loin. Elle déjeune au lycée.
Vous: (Ask what time the evening meal is.)
Mme Hadj-Hamdri: Ça dépend – en général, vers huit heures.
Vous: (Right! Say you are tired and you are going to bed.)
Mme Hadj-Hamdri: Bonne nuit. A demain.
Vous: (Say yes, see you at half past seven tomorrow morning.)
Mme Hadj-Hamdri: Ah non, mais demain, c'est dimanche, on fait la grasse matinée!

2 Now it is Fatima's turn to come to your house. Try to explain the household routine to her. One of you should take Fatima's part. And be ready to act out the sketch to the rest of the class!

Fatima: Et toi, tu te lèves de bonne heure le matin?
Vous: (Tell her what time you usually get up.)
Fatima: Et à quelle heure prend-on le petit déjeuner?
Vous: (Say you are all usually in a great hurry – you have a cup of tea and some toast.)
Fatima: C'est comme chez nous! Et tu déjeunes au lycée?
Vous: (Tell her what you usually do for lunch.)
Fatima: Et à quelle heure mange-t-on le soir chez toi?
Vous: (Tell her what time you usually have your evening meal.)
Fatima: Que fais-tu après le repas du soir?
Vous: (Tell her what you usually do and ask what *her* favourite hobby is.)
Fatima: Moi, en général, je sors avec mes frères faire un footing!

3 Imagine one of you is a nurse. You are on night shift and you work from eight in the evening till six the next morning and then go to bed until two or three in the afternoon. The other person is an insurance salesperson whose best time to catch people is when they come home from work at about five in the evening. You want to find a suitable time to meet. Talk about your daily habits and find out when you are both free!

4 Tu es sérieux?

How hard-working are the people in your class?!

Go round the class asking **Qu'as-tu fait hier soir?** and **A quelle heure t'es-tu couché(e)?** Note down what people say.

Based on the information you gather, write a short paragraph about how young English people spend their evenings and what time they go to bed. Here is an outline to help you:

En général on rentre à la maison à ______ heures et on mange à ______ heures. Après avoir mangé, la plupart d'entre nous ______ mais il y a d'autres qui ______ ou bien ______. Les passe-temps préférés sont ______. On se couche vers ______ heures.

20 Rendez-vous

1 Qu'est-ce que tu fais demain?

Sylvie and her pen-friend, Emma, bump into Katrine and her pen-friend, Jane, in Quimper.

Katrine: Tiens, salut!
Sylvie: Ah! Salut!
Katrine: Ça va?
Sylvie: Ouais, ça va.
Katrine: Qu'est-ce que tu fais demain?
Sylvie: Oh, rien de spécial.
Katrine: Nous, on va à la plage. Tu veux venir avec nous?
Sylvie: Ah oui. Tiens. C'est pas une mauvaise idée.
Katrine: On y va comment?
Sylvie: Ah peut-être mon père pourra nous amener. Ah oui, je pense.
Katrine: Ouais je pense que le mien pourra nous ramener.
Sylvie: Ah oui. Et t'as prévu quelque chose d'autre dans la semaine?
Katrine: Euh non.
Sylvie: On pourra peut-être aller au cinéma – si elles comprennent quelque chose.
Katrine: Oui. Ou en ville.
Sylvie: Ah oui, en ville.
Katrine: Visiter un peu.
Sylvie: La cathédrale.
Katrine: Ouais.
Sylvie: Ouais.
Katrine: Bon. On se téléphone pour voir comment on ira demain?
Sylvie: Oui, je pense que mon père voudra bien, hein?
Katrine: Oui, d'accord.
Sylvie: A demain, alors.
Katrine: Salut.

prévoir to plan

2 Ça sera pour une autre fois!

Jacques: Tiens, bonjour. Es-tu libre ce soir?
Caroline: Ce soir, non.
Jacques: Oh.
Caroline: Oui.
Jacques: Pourquoi? Que fais-tu?
Caroline: Ben, je suis avec un copain.
Jacques: C'est vrai? Tu peux vraiment pas?
Caroline: Ben, non. Je ne peux pas du tout. Il fallait me le dire avant.
Jacques: Tu ne peux pas venir au cinéma ou te balader avec moi?
Caroline: Oh ben, non! Mais non, mais je suis prise ce soir.
Jacques: Bon, ben, tant pis, ça sera pour une autre fois.
Caroline: Oui, c'est ça.

Quelques jours plus tard . . .

Jacques: Tiens, bonjour. Es-tu libre ce soir?
Caroline: Oui, pourquoi?
Jacques: Ça te plairait d'aller au cinéma avec moi?
Caroline: Ça dépend – voir quoi?
Jacques: Un western . . .
Caroline: Ah non, non, non.
Jacques: Un film d'horreur?
Caroline: Non.
Jacques: Un film de science fiction?
Caroline: Non plus!
Jacques: Un Hitchcock.
Caroline: Ouais. D'accord.
Jacques: Il y a le dernier . . . *Sueurs Froides.*
Caroline: *L'homme qui en savait trop.*
Jacques: *L'homme qui en savait trop.* Oui, ça t'intéresse alors d'aller voir, *L'homme qui en savait trop*?
Caroline: Ouais.
Jacques: D'accord. Où se donne-t-on rendez-vous alors?
Caroline: Ben. Je ne sais pas. Où est-ce qu'on va le voir?
Jacques: Il passe avenue des Gobelins.
Caroline: Ben, on se retrouve devant le cinéma?
Jacques: Euh . . . je te téléphone pour savoir à quelle heure on se voit, alors?
Caroline: Oui. D'accord.
Jacques: Bien, ben, alors, à tout à l'heure.
Caroline: A tout à l'heure.

Jacques: Salut.
Caroline: Salut.

il fallait me le dire avant you should have told me earlier
je suis prise I am otherwise engaged
tant pis! too bad!
ça te plairait de . . .? would you like to . . .?
non plus! not that either!
il passe it's showing
à tout à l'heure see you later

A Comprehension check

Listen to Passage 1 and answer the questions below in French:

1 Sylvie, a-t-elle fait des projets pour demain?
2 Que propose Katrine?
3 Comment vont-elles y aller?
4 Que prévoient-elles d'autre pour la semaine?
5 Que vont-elles faire pour voir comment elles iront?

Now listen to Passage 2 and choose the correct answer **a** or **b**:

6 Lundi soir Caroline est
a libre.
b prise.

7 Jacques
a est surpris.
b accepte tout de suite son refus.

8 Jacques
a va lui proposer un autre jour.
b se met en colère.

9 Caroline veut
a voir n'importe quel film.
b choisir un film qui lui plaît.

10 Elle aime
a les films d'Hitchcock.
b les westerns.

11 **a** Jacques | passe avenue des Gobelins.
b Le film |

12 Ils vont se voir
a devant le cinéma.
b chez Caroline.

B Equivalents

Find the French equivalent for these English phrases and write them down:

1 What are you doing tomorrow?
2 How will we get there?
3 See you tomorrow then.
4 Are you free this evening?
5 No, I'm otherwise engaged.
6 It will have to be another time.
7 Where shall we meet up?
8 Right well, see you later.

C Nous, on va à la plage. Tu veux venir avec nous?

Listen to the way Katrine's voice falls and then rises. Practise saying the phrase, imitating her as closely as possible. Then, using the same phrases, say you're going to do these things and ask your friend if (s)he'd like to come with you:

1 go to the cinema
2 go to the café
3 go to the swimming-pool
4 go for a stroll
5 play football
6 do the shopping

D On pourra peut-être aller au cinéma – si elles comprennent quelque chose.

One person should make tentative suggestions. The other should add that (s)he'll only do it if the others want to as well.

Listen carefully to Sylvie's intonation and imitate it as closely as possible. Suggest:

1 visiting the cathedral (if they like ancient monuments)
2 going to a disco (if they like dancing)
3 watching TV (if there is an interesting programme on)
4 preparing a meal (if they enjoy cooking)

E Ça te plairait de voir un western?

Ask your partner whether (s)he would like to do these things:

F Je te téléphone pour voir à quelle heure on se voit.
Practise saying you'll telephone to arrange a meeting; see where you'll meet up; decide how you'll get there.

Useful Expressions

Qu'est-ce que tu fais demain?
What are you doing tomorrow?

Tu es libre ce soir?
Are you free this evening?

Tu ne fais rien ce soir?/Tu n'as rien à faire?
Are you doing anything this evening?

Si on allait au cinéma?
What about going to the cinema?

(Si tu veux) on pourrait regarder le film chez moi/je t'invite pour demain soir.
(If you like) we could watch the film at my place/I'll invite you round tomorrow evening.

Qu'est-ce que tu dirais de | **jouer au tennis?**
Tu aimerais
Ça te dirait de
Ça te plairait de
Do you fancy playing tennis?

Je vais à la piscine, ça te dit/tu viens?
I'm going to the swimming-pool, how about you?

Ah oui, je veux bien.
Yes, I'd like to very much.

bonne idée! good idea!

d'accord OK

avec plaisir/volontiers with pleasure

si tu veux if you like

pourquoi pas? why not?

Ça serait sympa. That would be nice.

Non, je m'excuse mais . . . | Sorry, but . . .
Je regrette, mais . . .
Désolé(e) mais . . .

Merci, mais . . . Thanks but . . .

C'est vraiment sympa/gentil, mais . . .
It's very kind but . . .

. . . **je ne suis pas libre.**
. . . I'm not free.

. . . **je n'ai pas le temps.**
. . . I haven't the time.

. . . **je suis pris.**
. . . I'm otherwise engaged.

. . . **ça ne me dit rien.** . . . I don't fancy it.

. . . **je ne peux pas.** | . . . I can't.
. . . **ce n'est pas possible.**

Il fallait me le dire avant.
You should have told me before.

Tant pis. Ça sera pour une autre fois.
Never mind. Another time.

Où se donne-t-on rendez-vous?
Where shall we meet up?

Si on se retrouvait | **chez moi?** / **devant le lycée?**
What if we met up | at my house? / outside the school?

On se rencontre à quelle heure?
What time shall we meet?

Je viens te chercher à six heures, alors.
I'll come and pick you up at six, then.

Alors, disons, demain à sept heures.
Well, let's say tomorrow at seven.

D'accord pour demain/six heures.
OK for tomorrow/six o'clock.

Je te téléphone? Shall I phone you?

Tu me téléphones? Will you phone me?

On se téléphone?
Shall we phone each other?

Si on lui donnait un coup de téléphone?
What if we gave him/her a ring?

Tu dois rentrer à quelle heure?
What time do you have to be back?

(Allez), | **au revoir!** / **salut!** | Bye!

A bientôt. See you | soon.
A plus tard. | later.
A tout à l'heure. | later on.
A demain. | tomorrow.
A lundi/mardi. | on Monday/Tuesday.

C'est ça. | Right you are.
Entendu.

Role-play

Act out these conversations with your partner.

1 *Vous:* (Ask Jackie what she is doing this afternoon.)
Jackie: Rien de spécial.
Vous: (Ask if she would like to play tennis with you.)
Jackie: Oui, ça serait sympa.
Vous: (Say well then, shall we say three o'clock.)
Jackie: D'accord.
Vous: (Ask where you should meet up.)
Jackie: Si on se voyait devant le stade?
Vous: (Say good idea and see you later!)

2 *Jean-Claude:* Tu es libre ce soir?
Vous: (Say no, you are otherwise engaged.)
Jean-Claude: C'est vrai? Tu ne peux pas venir au cinéma avec moi?
Vous: (Say no, it is really kind but it is not possible.)
Jean-Claude: Tant pis, ça sera pour une autre fois.
Vous: (Say yes, that's it and ask what he is doing tomorrow evening.)
Jean-Claude: Nous, on va à la piscine, ça te dit?
Vous: (Say yes, you would like to come too.)
Jean-Claude: Je passe te chercher à six heures et demie.
Vous: (Suggest meeting up in front of the swimming-pool.)
Jean-Claude: Entendu.
Vous: (Say see you tomorrow, then, and take your leave.)

3 Make a date with your partner to do something together. Ask whether they are free this evening, whether they would like to go to the cinema, or listen to records at your house, and arrange at what time and where you will meet up.

4 Here is a letter from the problem page in the teenage magazine *OK!* Read it carefully, then take the parts described below.

Une lectrice lyonnaise: "JE NE ME RECONNAIS PLUS"

Il y a à peine deux mois, j'étais une petite fille de quinze ans bien sage n'ayant jamais flirté. Quelques garçons ont essayé de sortir avec moi mais j'attendais le grand amour. Puis je suis allée chez le coiffeur; il m'a fait une coupe super qui m'a totalement transformée. Incroyable le succès que j'ai eu alors en boum et ailleurs! Depuis, je ne me reconnais plus physiquement mais aussi moralement. Je suis sortie avec X. puis Y. sans les aimer, et lorsque des garçons me donnent des rendez-vous, je les accepte et... les décommande le lendemain en prétextant un empêchement tout à fait fictif. J'aimerais redevenir comme avant sans pourtant changer de coiffure. Aussi, j'espère que vous me conseillerez. J'attends votre réponse avec impatience.

lectrice reader
flirter to 'get off' with someone
décommander to put off
prétexter to make up
un empêchement excuse
fictif fictitious

One partner takes the part of the reader from Lyons, and the other that of a boy with whom she has made a date to go to the disco next Saturday. He has phoned to check up what time they are going. She wants to call the whole thing off . . .

If you are both girls or both boys, arrange a time to meet up to talk about your personal problems!

5 You receive a letter from a friend which makes you so angry you tear it up and throw it in the bin! Later on, you regret your actions, and want to reply. Here is a piece of the letter which you manage to retrieve from the waste-paper basket:

Je m'excuse mais
je suis prise. Il fall
avant. Je suis vrai
parce que je veux bi
le film. Si tu es
pour-demain soir.

Write a suitable reply to the letter.

21 Le tourisme

Je suis d'origine antillaise

Jacques: Es-tu d'origine parisienne?
Yann: Alors là, pas du tout, tu vois. Je suis d'origine antillaise mais je suis d'une origine très variée. Mon père est d'origine hindoue, des Indes, Madagascar. Ma mère, elle est d'origine hollandaise, américaine du sud, sinon j'ai quand même du sang européen.
Jacques: Et tu as vécu en Martinique?
Yann: Oui, trois ans.
Jacques: Et c'était bien?
Yann: Enfin je ne me rappelle pas très bien – j'étais assez petit. J'avais . . . je devais avoir cinq ans . . . mais sinon mes souvenirs qui me restent de cette petite île sont assez bons.
Jacques: Et tu regrettes . . .?
Yann: Je regrette, non pas vraiment puisque j'y vais tous les trois ans donc . . . je peux revoir mes grands-parents, toute ma famille.
Jacques: Tu aimes bien Paris?
Yann: Ça dépend des jours. Quand il pleut, non, mais quand il fait beau, oui, on peut sortir, on peut s'amuser facilement.
Jacques: Qu'est-ce que tu aimes et qu'est-ce que tu n'aimes pas à Paris?
Yann: Ce que je n'aime pas, c'est . . . à Paris . . . c'est le manque de verdure. Sinon ce qui est bien à Paris, c'est les moyens de locomotion, il y a beaucoup de trains . . . il y a beaucoup de cinémas . . . de . . . d'endroits où l'on peut s'amuser entre jeunes.
Jacques: Et à ton avis quels monuments faut-il voir à Paris?
Yann: Il faut voir . . . surtout voir sa Tour Eiffel puisqu'elle est très connue dans le monde entier. Sinon, il y a les monuments, il y a les musées, l'Arc de Triomphe aussi, le Louvre, Versailles surtout.
Jacques: Si ton correspondant venait te visiter à Paris, qu'est-ce que tu ferais avec lui?
Yann: Qu'est-ce que je ferais avec lui? Je parlerais surtout pour lui apprendre la langue et moi aussi en profiter aussi. Sinon, je lui ferais visiter les monuments. Je lui ferais visiter Paris, les alentours. Je ne lui ferais pas rester juste à Paris, je lui ferais aussi aller dans la banlieue pour qu'il connaisse bien la diversité des paysages de France.

d'origine antillaise West Indian extraction
vécu from **vivre** to live
je devais avoir . . . I must have been . . .
le manque lack
les moyens de locomotion means of transport
puisque since
profiter to make the most of it
les alentours surroundings
la banlieue suburbs
pour que so that

A Comprehension check

1 Yann est né **a** à Paris. **b** aux Antilles.

2 Sa mère est d'origine
a hollandaise.
b française.

3 Yann a quitté la Martinique
a à trois ans.
b à cinq ans.

4 Yann
a a de très beaux souvenirs de l'île de Martinique.
b regrette beaucoup de l'avoir quittée.

5 Il y va
a tous les trois ans.
b chaque été.

6 Ses grands-parents habitent
a à Paris.
b en Martinique.

7 Yann n'aime pas
   a Paris.
   b la pluie.

8 Il trouve qu'à Paris il y a très peu
   a d'arbres.
   b de divertissements.

9 Il croit que le monument le plus important, c'est
   a la Tour Eiffel.
   b l'Arc de Triomphe.

10 Yann parlerait à son correspondant
   a tout le temps en français.
   b quelquefois aussi en anglais.

11 Il croit qu'il
   a faudrait lui faire visiter Paris et la province.
   b suffirait de lui montrer la capitale.

B Es-tu d'origine parisienne?
Pas du tout. Je suis d'origine antillaise.

Talk to your partner about where you and your family come from, where you were born, and where you live now. For example:

— Et toi? Es-tu d'origine anglaise?
— Oui, je suis né(e) à Bradford dans le Yorkshire, mais ma mère est originaire du Pays de Galles et mon père est irlandais.
— Non, je viens de l'Inde – mais j'habite ici depuis dix ans.

C Ce que je n'aime pas à Paris, c'est le manque de verdure.

Practise saying what you do *not* like about the town where you live! Here are some suggestions:

1 la circulation
2 le manque de divertissements pour les jeunes
3 le climat
4 le chômage
5 la pollution

D Ce qui est bien à Paris, c'est . . .

Practise saying what is good about where you live . . .

la proximité de la campagne
le manque de pollution
la vie naturelle

les grands magasins
les cinémas
les moyens de transport

E Il faut voir la Tour Eiffel

What should a foreigner visiting London be sure to see? Practise using Yann's phrase to say they must see:

1 The National Gallery
2 The British Museum
3 The Thames (**la Tamise**)
4 Buckingham Palace
5 St. Paul's Cathedral
6 Big Ben

F Qu'est-ce que je ferais avec lui?

Say what you would do with your pen-friend if (s)he came to England.
Practise saying:

you'd talk to him/her.
you'd introduce him/her to your friends.
you'd visit the main sights in London.
you'd go to the cinema.

Make up your own sentences to say what you would do in *your* town.

Useful Expressions

Tu es de nationalité britannique?
Are you British?

Oui, mais je suis d'origine antillaise/asiatique/écossaise/galloise.
Yes, but I'm of West Indian/Asian/ Scottish/ Welsh extraction.

EN PUISAYE LA NATURE INTACTE AUX PORTES DE PARIS

Entre Yonne et Loire, au sud-ouest d'Auxerre, la PUISAYE est une de ces régions de plus en plus rares qu'a épargnée jusqu'à présent l'agitation moderne et où la nature est restée intacte.

COLETTE, qui y est née et qui en conserva toute sa vie le savoureux accent l'appelait 'ma Bourgogne pauvre'. Pauvre, la Puisaye? A coup sûr ni en verdure, ni en eau vive, ni en air pur! Pays de bocage aux prairies enserrées dans un dense réseau de haies vives, pays de forêts, de frais ruisseaux, d'étangs ombreux – fièvreux, disait Colette – pays de chasse et de pêche, la PUISAYE est en fait une merveilleuse réserve de nature et de calme.

Et les témoignages de l'activité humaine, hameaux isolés aux noms pittoresques, bourgs accueillants dont le calme n'est guère troublé que les jours de foire ou de marché, beaux châteaux et élégantes gentilhommières, artisanats traditionnels prospères, comme la poterie, sont en PUISAYE à l'unisson de la nature pour en faire à moins d'une heure et demi de Paris par l'autoroute A6, une région privilégiée pour les vacances et les fins de semaine.

D'où viens-tu? Where do you come from?

Je viens de Londres. I'm from London.

Où es-tu né(e)? Where were you born?

Je suis né(e) à Birmingham.
I was born in Birmingham.

Mon pays natal, c'est Hastings.
My home town is Hastings.

J'habite maintenant à Londres.
I live in London now.

Dans le nord/sud/est/ouest de l'Angleterre.
In the north/south/east/west of England.

Dans le Donegal en Irlande.
In Donegal in Ireland.

C'est une grande ville. It's a big town.

une ville moyenne a medium-sized town

un petit village a small village

un port a port

C'est la capitale de l'Ecosse.
It's the capital of Scotland.

C'est le chef-lieu du Kent.
It's the county-town of Kent.

Tout près de Londres. Very near London.

A quatre-vingts kilomètres d'Edimbourg.
About fifty miles from Edinburgh.

Si mon correspondant venait, je lui ferais visiter . . .
If my pen-friend came, I would have him visit . . .

. . . **les vieux monuments/le vieux quartier**
the ancient monuments/the old town

. . . **la cathédrale/le musée/le château**
the cathedral/museum/castle

. . . **la piscine/le stade/les grands magasins**
the swimming-pool/stadium/department stores

Avec trente mille habitants . . .
With 30,000 inhabitants . . .

. . . **c'est une ville tranquille/mouvementée.**
. . . it's a quiet/busy town.

Role-play

You will often be asked what your home-town is like when you are in France. Practise these conversations with your partner.

1 *Mme Govindoorazoo:* Vous êtes d'origine anglaise?
Vous: (Say yes, you were born in Leicester, but your parents are of Asian extraction.)
Mme Govindoorazoo: Où habitez-vous maintenant?
Vous: (Say you live in St. Andrews.)
Mme Govindoorazoo: Excusez-moi. Je ne connais pas cette ville. Où est-ce?
Vous: (Say it is in Fife in Scotland, about 50 miles from Edinburgh.)
Mme Govindoorazoo: C'est une grande ville?
Vous: (Say it is a medium-sized town with a population of about 15,000 people.)
Mme Govindoorazoo: Vous aimez cette ville?
Vous: (Say yes, it is a very quiet town on the coast.)
Mme Govindoorazoo: Y a-t-il des vieux monuments?
Vous: (Say there is the cathedral and the castle. Say that what you do *not* like about it is that there is nothing for young people.)
Mme Govindoorazoo: Bon, ici à Paris, il y a un peu de tout – il faut en profiter!

2 You meet Lionel at a disco – you immediately realize he is from France and decide to ask him a few things in French. (As he is your age you can use **tu** straight away!)
Vous: (Ask Lionel where he comes from.)
Lionel: J'habite à Lyon maintenant mais je suis né à Sidi-bel-Abès en Algérie.
Vous: (Ask if he lived in Algeria.)
Lionel: J'avais deux ans quand on est venu ici.
Vous: (Ask if he likes Lyon.)
Lionel: Oui, il y a beaucoup de circulation mais à part ça, oui, j'aime bien.
Vous: (Ask if it is a big town.)
Lionel: Oui, c'est une ville industrielle.
Vous: (Ask him if there are lots of things going on for young people.)
Lionel: Oui, oui. Il y a beaucoup de cinémas. Il y a des stades, des piscines.
Vous: (And ask him what you would do together if you went to visit him.)
Lionel: Oh, on se baladerait, on irait au café, on rendrait visite à des amis, il y a plein de choses à faire!

3 Talk to your partner about where you were born, the town where you live, and what things you like and dislike about it.

4 Look at the extract on the opposite page from a brochure about La Puisaye (between the Yonne and Loire rivers). Read the passage carefully, consulting the vocabulary list below.

épargner to spare
savoureux delightful
à coup sûr definitely
bocage farmland with fields and hedges
enserré hemmed in
la haie hedge
d'étangs ombreux shady pools
les témoignages evidence
les hameaux hamlets
accueillants welcoming
guère scarcely
une gentilhommière manor house
artisanats handicrafts

Prepare to write a similar account of an English region which you like. Read the passage again, noting down any expressions which you think might be useful in describing the region you have chosen. Then write *your* advertising brochure of about 50–100 words in length. By folding an A4 piece of paper in two lengthwise, copying out what you have written, and adding some drawings or photos of the region if you have any, you will have your very own tourist brochure which you can send to your pen-friend in France!

22 Métiers

1 Marie

Katrine: Qu'est-ce que tu vas faire l'année prochaine?
Marie: Je vais aller . . . je vais quitter l'école pour aller au collège d'hôtellerie.
Katrine: Tu auras des examens?
Marie: Oui, un.
Katrine: Quelle sorte d'examen?
Marie: Pour rentrer dans mon collège.
Katrine: Et quand quitteras-tu ce lycée?
Marie: Au mois de juin.
Katrine: Tu auras quel âge là?
Marie: Seize ans.
Katrine: Et qu'est-ce que tu feras dans la vie plus tard?
Marie: J'aimerais être hôtesse d'accueil dans un hôtel pour renseigner des touristes, pour les accueillir, pour prendre leurs noms.
Katrine: Et si tu avais beaucoup d'argent, qu'est-ce que tu voudrais faire dans la vie?
Marie: J'aimerais d'abord . . . tout d'abord . . . voyager, acheter un haras . . . beaucoup de chevaux.
Katrine: Tu aimes les chevaux?
Marie: Oui, énormément.

quitter to leave
hôtellerie hotel business
hôtesse d'accueil receptionist
renseigner to inform
accueillir to welcome
un haras stud farm

2 Jacques

Yann: Que comptes-tu faire l'année prochaine?
Jacques: L'année prochaine je reste au lycée pour faire une première S.
Yann: Et qu'est-ce qu'une première S?
Jacques: La première S est une première scientifique qui permet d'accéder aux bacs C et D qui sont les bacs sciences naturelles et mathématiques.
Yann: Tu as des examens à passer cette année?
Jacques: Non, cette année, non. Mais l'an prochain. Et l'année suivante je vais passer le baccalauréat.
Yann: Le baccalauréat. Et quand quitteras-tu le lycée?
Jacques: Si tout va bien, je le quitte dans deux ans.
Yann: Tu auras quel âge, alors.
Jacques: J'aurai dix-sept, dix-huit ans.
Yann: Si tu réussis ton bac, que feras-tu plus tard?
Jacques: Si jamais mon bac me permet d'entrer dans une école de médecine je rentrerai dans une école de médecine. Sinon, je ne sais pas du tout.
Yann: Tu ne sais pas.
Jacques: Non.
Yann: Et à part la médecine, que te plairait-il de faire?
Jacques: Pour l'instant, rien du tout. La médecine seulement m'intéresse.
Yann: Si tu avais beaucoup d'argent, qu'en ferais-tu?
Jacques: Si j'avais beaucoup d'argent . . . je ne sais pas du tout, je n'y ai jamais pensé.
Yann: Tu penseras aux pauvres?
Jacques: Je ne sais pas. Je ne me suis jamais posé la question.
Yann: Tu le garderais?
Jacques: Peut-être. Je ne sais pas du tout.

compter to intend
première sixth form
qui permet d'accéder . . . which means you can go on to . . .
le bac the baccalauréat (*French equivalent of A levels*)
passer to sit
réussir to pass
si jamais . . . if, by any chance . . .
sinon if not
garder to keep

A Comprehension check

Passage 1

1 Marie, pourquoi va-t-elle quitter l'école l'année prochaine?
2 Aura-t-elle un examen?
3 Quel âge aura-t-elle quand elle quittera ce collège?
4 Que voudrait-elle faire dans la vie?
5 Et à part sa carrière, qu'aimerait-elle faire?

Passage 2

6 Jacques va quitter le lycée
 a l'année prochaine.
 b dans deux ans.

7 Jacques doit passer des examens
 a cette année.
 b l'an prochain.

8 L'année suivante
 a il va passer le bac.
 b il n'aura pas d'examens.

9 Quand il quittera le lycée, il aura
 a 16 ans.
 b 18 ans.

10 Il pense qu'il sera
 a facile | d'entrer dans une école de
 b difficile | médecine.

11 S'il ne réussit pas son bac,
 a il a d'autres projets.
 b il ne sait pas ce qu'il fera.

12 Si on lui donnait beaucoup d'argent en ce moment, Jacques
 a ne saurait quoi en faire.
 b donnerait certainement aux pauvres.

B Equivalents

Find the French equivalents of these English phrases in the texts and write them down:

1 What do you intend to do next year?
2 When will you leave school?
3 How old will you be then?
4 What will you do later on in life?
5 If you had a lot of money, what would you do with it?

C Answers

Here are some answers to the questions above – but in the wrong order. See if you can find which answer fits which question:

a J'aurai seize ans.
b Je deviendrai apprenti plombier.
c Dans un an.
d J'achèterais une glace pour tous les enfants du monde!
e Je vais rester au lycée.

D Qu'est-ce que tu vas faire l'année prochaine?

Practise saying you are going to:

1 leave school
2 go into the sixth form
3 take your exams
4 go to Katmandu
5 buy a motor-bike

E Que feras-tu dans la vie plus tard?

Using the future tense (to show firmness of intention!) say:

1 when you are going to leave school
2 how old you will be
3 that you want to enter medical school
4 or, if not, you'll go into the hotel business

F J'aimerais être hôtesse d'accueil pour renseigner des touristes . . .

Marie wants to be welcoming and helpful to people. Using her phrase, say why you would like to be each of these!

agricultrice (-eur)

professeur

G Si tu avais beaucoup d'argent, qu'en ferais-tu?
Say you would:

give it all away to the poor; travel; keep it!; buy lots of horses.

Useful Expressions

Future plans

Que vas-tu/comptes-tu faire l'année prochaine?
What are you going/planning to do next year?

Qu'as-tu l'intention de faire l'année prochaine?
What do you intend to do next year?

Que feras-tu dans la vie plus tard?
What will you do later on in life?

Quels examens passeras-tu cette année?
What exams will you sit this year?

Quand quitteras-tu le lycée?
When will you leave school?

Au mois de mai/juin. In May/June.

Quel âge auras-tu? How old will you be?

J'aurai 16 ans. I'll be 16.

Je reste au lycée. I'm staying on at school.

J'ai l'intention de quitter l'école/ continuer mes études.
I'm thinking of leaving school/going on with my studies.

J'irai au collège.
I'm going to go to college.

Je ferai des études de médecine.
I'm going to study medicine.

Je travaillerai dans une pharmacie.
I'm going to work in a chemist's.

Je serai caissière.
I'm going to be a cashier.

Je deviendrai comptable.
I'm going to become an accountant.

Uncertainty

Je ne sais pas encore. I don't know yet.

Je n'ai aucune idée. I have no idea.

Si jamais mon bac me permet, je ferai des études de géographie.
Should my (A-level) exam results be good enough, I'll study geography.

Je n'y ai jamais pensé.
I've never thought about it.

Je ne me suis jamais posé la question.
I've never asked myself that question.

Peut-être . . . **Il se peut que** . . .
Perhaps . . . It may be that . . .

Hopes and wishes

J'espère aller au collège d'hôtellerie.
I hope to go to hotel business college.

J'aimerais bien/Je voudrais bien devenir apprenti mécanicien.
I'd very much like to become an apprentice mechanic.

Je pense être informaticien.
I'm thinking of being a computer scientist.

Si tout va bien/Si je passe mon bac j'irai à l'école normale.
If all goes well,/If I pass my 'bac', I'll go to teacher training college.

It's all hypothetical!

Si tu étais riche,/avais beaucoup d'argent, que ferais-tu?
If you were rich,/had a lot of money, what would you do?

J'irais en Chine. I would go to China.

Je le donnerais au Tiers-Monde.
I would give it all to the Third World.

Je serais très content(e)!
I would be very happy!

Role-play

With your partner act out these conversations in which you ask about future plans.

1 *Annie:* Que comptes-tu faire l'année prochaine?
Vous: (Say you are staying on at school.)
Annie: Tu as des examens à passer cette année?
Vous: (Say yes, you are sitting five exams this year.)
Annie: Et quand quitteras-tu le lycée?
Vous: (Say you do not know yet – in two years perhaps.)
Annie: Et que feras-tu plus tard dans la vie?
Vous: (Say you would really like to become an interpreter (**interprète**).
Annie: Faut-il faire de longues études pour cela?
Vous: (Say yes. If you pass the English 'bac', you will go to college.)
Annie: A 18 ans?
Vous: (Yes, when you are 17 or 18. And you hope to travel, too.)
Annie: Où penses-tu aller?
Vous: (Say you are intending to go to France, of course!)

2 Paul is a bit depressed about the high unemployment (**le chômage**). See if you can cheer him up.

Paul: Moi, plus tard, je n'aurai pas d'emploi, tu vois.
Vous: (Say, but yes of course he will, he is very intelligent, and he is going to get his 'bac' this year.)
Paul: Mais le chômage . . .
Vous: (Ask him what he would like to do for a living later on.)
Paul: J'aimerais bien faire des études de médecine.
Vous: (Say there you are then! People always need doctors and he will be a very good doctor.)
Paul: Si jamais je réussis mon bac . . .
Vous: (Say he *is* going to pass it! Ask him what he is thinking of doing in the summer holidays.)
Paul: Je n'y ai pas pensé encore.
Vous: (Ask him if he is intending coming to England.)
Paul: Peut-être. Je ne sais pas.
Vous: (Ask him when he is leaving school.)
Paul: Au mois de juin.
Vous: (Express surprise that he has not made any plans.)
Paul: Mais non, on lancera peut-être la bombe atomique au mois de mai . . . ou on sera tué par les effets de la pollution de l'air . . .

3 Using the questions from Role-play 1, discuss your future plans with your partner. Ask what exams you are doing, when you are thinking of leaving school, whether you will continue your studies, and what you are thinking of doing for a living.

4 Only two weeks till you leave school! Write to your pen-friend, saying what your plans for the future are and inquiring what (s)he is thinking of doing.
Start off by saying: 'Dans deux semaines je quitte le lycée!'

List of structures

Whilst the book is primarily for role-play and is situationally based, some degree of structural progression is also observed. The table below lists the main, new structures as they appear in each unit. This facilitates the selection of specific units to tie in with structures already encountered in students' course work. This is particularly relevant from Unit 17 onwards. The initial units in each half of the book (Units 1, 2 . . . and Units 13, 14 . . .) are more easily accessible than the later ones.

Question forms are practised throughout the book, especially:

Y a-t-il . . .? / Est-ce qu'il y a . . .?
(Units 1, 2, 8, 10, 11.)

Peut-on . . .? / Est-ce qu'on peut . . .?
(Units 1, 10, 11.)

Où est/sont . . .? Où se trouve(nt) . . .?
(Units 2, 11.)

Unit	Structures
1	**aller** + infinitive **pouvoir** + infinitive
2	prepositions **à quelle distance? à 200 mètres**
3	**devoir** + infinitive (must, should) **il faut** + infinitive
4	**au/à la/à l'/aux** **quel(le)s . . .? celui-ci/celui-là** expressions of quantity
5	–
6	**j'ai mal à . . .** **avez-vous quelque chose pour/contre. . .?**
7	–
8	subordinate clauses – **vouloir que** + subjunctive **devoir** – deduction **auriez-vous . . .?** **pourriez-vous . . .?**
10	subordinate clauses – **pourriez-vous me dire . . .?** **j'aimerais bien** + infinitive
11	**il est interdit de** / **il est obligatoire de** + infinitive
12	**si** + present tense passé composé
13	**être** (no article) with names of professions
14	**comment fait-on pour . . .?** **vouloir** + infinitive
15	**plaire** adverbs of frequency
16	**où va-t-on pour . . .?** **cela t'intéresserait-il de . . .?**
17	**depuis combien de temps . . .?** + present tense
18	passé composé – verbs conjugated with **être/avoir** **depuis/pour/pendant** **aller** + infinitive future tense **compter faire quelque chose**
19	reflexive verbs – present and past tenses **on** present participle – **en ____ant** past participle **après avoir . . .**
20	**on pourra . . .** **cela te plairait de . . .?** **je te téléphone pour . . .**
21	**ce qui . . . /ce que . . .** **si** + imperfect, conditional
22	future tense **aller** + infinitive **si** + imperfect, conditional